O CÃO E OS CALUANDAS

VOZES DA ÁFRICA

PEPETELA
O CÃO E OS CALUANDAS

kapulana

São Paulo
2019

Copyright © 2019 Editora Kapulana Ltda. – Brasil
Copyright © 2019 Pepetela.

A editora optou por adaptar o texto para a nova ortografia da língua portuguesa de expressão brasileira. (Acordo Ortográfico da Língua Portuguesa – decreto n° 6.583, de 29 de setembro de 2008).

Direção editorial:	Rosana M. Weg
Projeto gráfico:	Isabella S. Broggio
Capa:	Mariana Fujisawa e Daniela M. Taira

Dados Internacionais de Catalogação na Publicação (CIP)
(Câmara Brasileira do Livro, SP, Brasil)

Pepetela
 O cão e os caluandas/Pepetela. -- São Paulo: Kapulana, 2019. -- (Série Vozes da África)

ISBN 978-85-68846-47-6

1. Romance angolano (Português) I. Título. II. Série.

19-23698   CDD-A869

Índices para catálogo sistemático:
1. Romances: Literatura angolana em português   A869

Cibele Maria Dias - Bibliotecária - CRB-8/9427

2019

Reprodução proibida (Lei 9.610/98).
Todos os direitos desta edição reservados à Editora Kapulana Ltda.

Rua Henrique Schaumann, 414, 3° andar, CEP 05413-010, São Paulo, SP, Brasil
editora@kapulana.com.br – www.kapulana.com.br

APRESENTAÇÃO 07
PREFÁCIO: *A crítica de Pepetela,* por Tania Macêdo 09

Aviso ao leitor 15
Tico, o poeta 17
A buganvília 1 23
O primeiro oficial 25
A buganvília 2 33
Luanda assim, nossa 35
Ata 39
Anúncio do *Jornal de Angola* 43
O mal é da televisão 44
A buganvília 3 51
No mar anda uma toninha 53
A buganvília 4 61
O elogio da ignorância 63
O cão escapa de aparecer no jornal 72
A buganvília 5 75
Ciúme 1 / Ciúme 2 77
Carnaval com Kianda 85
A buganvília 6 93
Lição de economia política 95
A buganvília 7 105
Regressados 107
Que raiva! 116
A buganvília 8 125
Entre judeus 127
A buganvília 9 135
Objeto: Relatório das ocorrências na bicha do Martal 137
Conversa com um informador pouco cooperativo 142
A buganvília 10 147

Epílogo 149
Primeiro episódio: onde o autor é obrigado a retratar-se 153
Primeiro episódio: outra versão possível 159

GLOSSÁRIO 165
VIDA E OBRA DO AUTOR 169

Apresentação

A Editora Kapulana tem a honra de trazer ao Brasil *O cão e os caluandas*, obra do angolano Pepetela, originalmente publicada em 1985. São histórias pequenas dentro de uma história maior: como se abríssemos uma caixinha de encantos e, de dentro dela, puxássemos, aos poucos, fios de narrativas entrelaçadas.

Em *O cão e os caluandas*, o mestre Pepetela enrola e desenrola esse novelo, alternando entre algumas linhas mais rústicas e outras mais refinadas. Nesse delicado processo literário, vozes e olhares diversos nos mostram a história de Angola e as histórias dos caluandas, angolanos de Luanda, sob ângulos também diversos.

A equipe da Editora Kapulana agradece ao autor pela oportunidade de publicar pela primeira vez essa marcante obra no Brasil. Agradece a Tania Macêdo, pesquisadora incansável das literaturas africanas, que nos oferece um estudo valioso da obra; e a Mariana Fujisawa, artista que nos encanta com a ilustração que abraça o livro na forma de capa e com aquelas que colocam as partes internas da obra em conversa, acompanhando o ritmo da narrativa de Pepetela.

São Paulo, 10 de janeiro de 2019.

A crítica de Pepetela

TANIA MACÊDO
Professora Titular de Literaturas Africanas da FFLCH-USP
(Faculdade de Filosofia, Letras e Ciências Humanas
da Universidade de São Paulo)

Pepetela, pseudônimo de Artur Carlos Maurício Pestana dos Santos, é um dos marcos incontornáveis da literatura angolana contemporânea. Nascido em Benguela, sua trajetória política liga-se intimamente ao Movimento Popular de Libertação de Angola (MPLA), quer pela participação ativa na guerra pela independência de seu país – em que chegou ao posto de Comandante – quer pelas funções que no jovem Estado passou a assumir, dentre as quais a de Vice-Ministro da Educação.

Com uma experiência vinculada aos caminhos de Angola e ao partido que assumiu o poder logo após a independência a 11 de novembro de 1975, Pepetela, entretanto, não deixa à margem as críticas ao Partido e aos (des)caminhos da administração de seu país. Desde os seus primeiros romances, como *As aventuras de Ngunga* (1979) ou *Mayombe* (1980), percebe-se que os deslizes e falhas das autoridades e do governo como um todo são revelados e discutidos, fazendo com que o leitor possa situar-se frente ao texto e à realidade por ele narrada.

O pequeno livro de Pepetela, *O cão e os caluandas* (calus), traz uma grande história e remete a Luanda, na medida em que "caluanda" é como os habitantes de Luanda são chamados. Composto de pequenos quadros da cidade capital no pós-independência, é a partir da figura de um cão pastor-alemão, que ninguém sabe a quem pertence, que os vários estratos da sociedade angolana dos anos pós 1975 são focalizados. Se o cachorro é o ponto de ligação entre as várias personagens, que por um breve tempo pretendem-se seus donos, chama a atenção que as informações sobre ele são dadas por personagens de várias camadas sociais, em depoimentos a um narrador.

Entre os vários depoimentos em primeira pessoa, temos desde um jovem que se pretende poeta, mas na verdade é um indolente e aprendeu o vocabulário da luta de classes a partir de citações de textos de Marx lidos no jornal, representante daqueles que somente recitam o que o partido afirmava nos meios de comunicação, mas não colaboravam de fato para a construção da jovem nação, até o funcionário público corrupto ou o "tribalista" que fomentava as diferenças entre as várias etnias de Angola. A partir de diversos depoimentos ao romancista que deseja saber mais sobre o cão, desenha-se um retrato bastante crítico da Angola dos primeiros tempos da independência, na medida em que Luanda é uma espécie de metonímia de todo o país. Dessa forma, é possível verificar como a postura socialista adotada pelo governo é apenas superficial nas pessoas, que vivem e propõem "esquemas", ou seja, "jeitinhos" que, afinal, são formas diversas, mais ou menos, brandas de corrupção.

Tendo em vista que o livro apresenta maneiras diferentes de contar a história do cão cujo nome varia de dono para dono, utilizando discursos como o da Ata de reunião de uma fábrica, uma peça de teatro ou ainda um artigo de jornal, percebe-se que o narrado vai além das peripécias de um cão e suas andanças, pois vão surgindo as vidas de várias camadas sociais logo depois da independência de Angola, além dos dramas pessoais, como o adultério ou os ciúmes. E, assim, aguça-se ainda mais a curiosidade do leitor: o que e a quem pertenceria de fato o Cão?

Além das diversas formas de narrar, surgem ainda uma árvore e um animal marinho, respectivamente a buganvília (Bougainvilleas) – árvore conhecida entre nós como primavera, três-marias ou flor-de-papel, que não para de crescer e se fortalecer – e a doninha.

Sobre a árvore, vemos que ela se relaciona com o cão, na medida em que o seu crescimento é cada vez mais inquietante para ele, que passa a odiá-la. Ao pensarmos que o animal não se liga a personagens corruptas ou venais, podemos pensar que a árvore poderia remeter a tudo de mal que o corpo social daquele período apresentava, ao contrário do cão que procurava por valores autênticos.

Quanto à doninha, é melhor deixar ao leitor uma reflexão a respeito, lembrando como ela pode remeter à beleza, à extensão do mar e ao amor.

Como afirmamos, *O cão e os caluandas* é um pequeno livro que conta uma grande história: a história de um país heroico que fez a sua independência, resistiu a uma guerra, mas também a história menos nobre do mesmo país assolado pela corrupção, pelas assimetrias internas, inclusive de gênero. Dessa forma, *O cão e os caluandas* é um texto indispensável para quem quiser conhecer boa literatura e a Angola contemporânea.

São Paulo, 14 de dezembro de 2018.

Dedicatória pública:
Para a Mena

Dedicatória confidencial:
Para a Mena
– que viu a toninha um dia
ao olhar o espelho

Aviso ao leitor

As cenas que se vão narrar passaram no ano de 1980 e seguintes, nessa nossa cidade de Luanda. No século passado, portanto. Século sibilino.

Peço esforço para compreenderem a linguagem, que é a da época em que aconteceram os casos. Os que conheceram o cão pastor-alemão deixaram os documentos escritos ou gravados, que me resumi a pôr em forma publicável. Foi preciso um inquérito rigoroso, muitas solas gastas, a procurar as pessoas e, sobretudo, convencê-las a falar, a escrever, ou a darem-me na candonga fotocópias de documentos. O pouco conseguido aí está. E ficou guardado muitos anos na gaveta, por promessa feita a alguns dos informadores benévolos. Hoje, passado tanto tempo, será difícil descobrir a maior parte dos narradores. Há pessoas mal intencionadas que só leem livros para neles encontrarem alusões a conhecidos. Mas aqui os segredos ficam resguardados. E mesmo os herdeiros não me podem vir exigir os direitos de autor, o que é uma vantagem.

Trata-se pois de estórias dum cão pastor-alemão na cidade de Luanda. Também se trata duma toninha, ser todo de espuma, algas como cabelos, que talvez só tenha vivido na minha cabeça. E na do cão, claro. Será mesmo só isso? Responda o leitor.

Mais previno que qualquer dissemelhança com fatos ou pessoas pretendidos reais foi involuntária.

Calpe, ano de 2002.
O autor

Tico, o poeta

O cão olhou para mim e mexeu a cauda. Era grande e bonito, um canzarrão simpático. Mas se via comia muito. E nesse tempo de crise, nem que tinha carne para mim, quanto mais... Passei de lado. Cada um na sua vida!

Ele veio atrás. Cruzei a Mutamba, desci pra Baixa. Esqueci o bicho. Mas quando olhei para trás, ele vinha. Que raio! Será que animal vê nos olhos da gente quando o apreciamos? Como uma garina que ao lhe lançarmos uma mirada de fogo bate com os olhos, captando?

Nos tempos, um cão desses eu tinha medo: boca capaz de abraçar uma perna. Mas ele nada mostrava de maldade, nada mesmo. Os olhos eram alegres, a cauda a mexer, caminhando no meu cheiro.

Foi aí que dei encontro na tia Alice. Devia de andar fazer compras, pois que carregava um cesto vazio. A senhora travou-me logo:

— Xê, Tico. Tás fazer o quê?

— Nada. Passear.

O cão parou atrás. Ficou de longe a cheirar a tia Alice, focinho no ar, sem aproximar.

— Quando que começas a trabalhar?

— Não há trabalho, tia Alice. E para mim não pode ser trabalho qualquer.

— Menino, deixa de mentiras. Um rapaz novo, cheio de força, não tens trabalho? Não queres, masé. Uma vergonha! A tua mãe é que faz tudo.

— Ora, ela tem boa profissão, de kitandeira. É o que dá mais, nestes tempos de agora. Eu estou sempre à procura, mas nada.

— És um parasita. Como se diz no jornal.

— Devagar, devagar, tia Alice.

— Por que não vais colher café então? Parece falta muita gente para trabalhar no café.

— E deixar a Lua? Tia, deixe esses campunas ir no café, eu sou rapaz da cidade. Com estudos, segundo ano do Liceu, um intelectual revolucionário... Até tenho um poema publicado no jornal.

A velha muxoxou. Mas não tinha palavras para continuar a ofender, o meu verbo fácil arrumou-a. Olhou o cão. Mudou de assunto.

— Onde é que arranjaste?

— Bonito, não é? Engraçou comigo, está andar a seguir-me.

— Hum! Quem lhe dá de comer, és tu?

— Não. Travamos conhecimento agora.

— Deixa desses conhecimentos e vai masé trabalhar. Ou então vai na tropa, já tens idade.

— Hi, na tropa? O meu tio João Domingos fez a guerrilha contra os tugas. Catorze anos na mata. Já chega, a família lutou muito.

— Contigo não dá mesmo para conselhar. Vou nas compras.

— Vai encontrar?

— Disseram-me ali tem uma bicha. Vou ver o que está andar a sair.

— Ali na esquina?

— Sim, atrás do Banco.

— Geleiras, já vi.

— Geleiras? Sukua! Não tenho luz em casa.

— Compre na mesma, tia. Dá pra guardar os sapatos enquanto não tem a luz.

— Sempre a brincar, não é? Julgas eu vim do mato ontem? Meu pai já nasceu nesta cidade de Luanda...

— E queria que eu fosse para o mato, hein, tia? Tá embora ver que não posso? Sem mais, camarada, me permita me despeço.

E deixei a velha no passeio, a abanar a cabeça. Mania que essas velhas de agora têm de dar conselhos. O cão cheirou mais a tia Alice, deu uma mirada no cesto vazio, apostou em mim. Estás mal, canzarrão, essa velha tem mais comida que eu, pois que não vou a casa. Se queres vir, mesmo assim, podes vir, até dá banga passear com um cão desses pela Baixa. Nos tempos, só os brancos que andavam com um mamífero atrás. Mas agora é a independência, até um patrício já pode.

Pensei então mas o assunto dá para um poema. Cruzei a Marginal, sentei-me num banco à sombra duma palmeira, matutando. O cão sentou logo no chão, ao meu lado.

Era isso. Agora, com a abolição das classes sociais, ao que diziam, não havia mais diferenças. Por isso mesmo um patrício podia ter um cão desses, que dantes só os brancos e polícias podiam ter. Porque o patrício tinha enriquecido? Não, mas porque o cão se tinha proletarizado. Recordei uma passagem de Marx lida no jornal: sociedade de proletários. O cão, que nos tempos era burguês, agora tinha virado proleta, talvez porque o dono bazou na Melói. Podia ser meu. Dava mesmo para um poema revolucionário.

O bicho se chegou mais e fiz uma festa na cabeça. Juro mesmo ele estava a sorrir.

– Cão, nem sei o teu nome – falei então. – Mas vê-se mesmo és o resultado da luta de classes. Operariócamponês versus pequena-burguesia. Não confundir versus, que é grego, com versos, que é poesia, o meu forte. Só sabes morder, abanar o rabo, versus para ti é latinório! Quer dizer agueineste, topas? Portanto, tu perdeste a casa, a paparoca, tudo. Agora és vadio, proletário. Mergulhaste no seio do povo explorado cinco séculos. Vais virar um tipo faine, um operariócamponês. Amanhã vou te ler o poema, vais gostar.

O cão parecia compreender. Mexia a cabeça para cima e para baixo, no ritmo mesmo da minha fala. Mas a beiçola estava sorrir.

Levantei. Adiantei na Marginal, tentando boleia nos carros. O dedo ficava espetado no ar, inútil, azarado. Nenhum que parou. Esses condutores de agora são uns egoístas, julgam que dão boleias a uso? Só se for uma garina a mostrar a perna. Aí deixam as marcas dos pneus no chão a chiar com os travões, mesmo se ela diz quero ir em Benguela eles dizem logo era aí até que eles iam, só o tempo de pegar a mala em casa. Claro que na Corimba param o carro com uma avaria, uns vivaços! Mas eu fiquei feito parvo, e se não tivesse motor nos pés, nunca que chegava na Ilha. Assim fomos os dois, o cão sempre pensativo nos seus pelos.

Entramos num restaurante da Ilha. Ninguém que implicou com o bicho. Estava a contar o dono vinha pôr o cão na rua, mas nada. Depois compreendi: da maneira que os fregueses se coçavam, as pulgas eram da casa. Não adiantava, mais bicho menos bicho.

Era a moda nacional: quem queria beber cerveja tinha de encomendar a especialidade da casa, arroz-com-peixe-frito. Mandei vir o almoço e os três finos a acompanhar. Derrotei os três finos, o prato pus no chão e o cão varreu o arroz. Naquela confusão da casa, os clientes botavam queriam mais finos, mas o dono era durão: cada três finos um prato de arroz-com-peixe-frito. Hesitei com as minhas notas, isto é da minha mãe, olhei o cão que já lambia os beiços, deitado, mandei vir mais uma dose. Repetimos a cena: os finos para mim, o prato para o bicharoco. Lá se foram os kwanzas da velha. Também era só o tempo de ela vender três montinhos de tomate, quatro tomates pequenos cada montinho. A vida estava boa para nós.

Saímos do restaurante, bem almoçados, os dois a arrotar. Avançamos um pouco mais e deitamo-nos na praia, à sombra. O mar ainda não estava bravio como ao entardecer, fazia um ronron de gato que puxava o sono. Eu e o meu cão proleta adormecemos.

Quando acordei, aí pras quatro da tarde, o cão não estava. Olhei à volta. Nada. Assobiei. Idem. Procurei pela praia toda, até nas sombras das cada vez mais raras casuarinas. Onde foi o diabo?

Até hoje ando à procura dele. O sacana era masé um lúmpen, abancou o meu almoço, dormiu, quando acordou foi à vida. Sem despedir. Um parasita, um explorador. E eu, Tico, um intelectual revolucionário, não fiz o tal poema que pensei. O sacrista não merecia, continuava com a mentalidade de burguês, inimigo de classe dum operariócamponês como eu, cinco séculos explorado. Filho de cobra é cobra!

    Chega-lhe, camarada escritor? Mais também não sei contar sobre esse cão pastor-alemão. Pode agora escrever, mas igualito como contei. Igualito.

A buganvília 1

A buganvília continua a crescer.

Apareceu no alpendre ao lado da casa, mesmo por baixo do meu quarto e ninguém sabe como. O Antônio diz que deve ter sido cortada antes do pai comprar a quinta e ter ficado alguma raiz. Eu vi o primeiro ramito aparecer. Era tenrinho, de um verde-tenrinho. Mais tarde cobriu-se de espinhos. Outro raminho surgiu e depois mais outro.

Desde o princípio, o Lucapa, o nosso pastor-alemão, tem horror à buganvília. Não é por causa dos espinhos, pois já antes de ela ter os espinhos o Lucapa a odiava. Passava de lado e ladrava para ela. Um dia tentou mesmo esmagar com as patas o único raminho que na época ela tinha. Várias folhas foram arrancadas e ficaram espalhadas pelo chão. O ramo ficou estropiado, mas sobreviveu.

O Lucapa contempla a sua impotência e ladra. Creio que protesta para um ponto qualquer no futuro.

O primeiro oficial

Sim, claro que estou disposto, camarada escritor. Nada que me custa. Dá-me a escolher entre escrever e falar? Eu falo e você grava. Muito melhor, ponha o gravador a funcionar que eu conto. Afinal já está? O camarada é um vivaço, não fica à espera das autorizações. Isso de escrever não, estou farto de escrever lá na Repartição: recibos, folhas de efetividade, dispensas de serviço, requerimentos, pareceres, protocolos, ofícios... Não é que não tenha minha queda pras letras, até que tenho... Mas falar é mais fácil, mais agradável, mais africano, sobretudo com uma cuca à frente. Vai mais uma? Pode-se servir, tenho um esquema para conseguir as que quero. Oh, é muito simples. Conto mais isso? É que eu julgava que só íamos falar do cão... Bom, também não me custa. Malandro, não é?, o camarada também quer entrar no esquema. Seja! Lá na fábrica de cervejas tenho um cliente. Coisa de nada. O rapaz estava atrapalhado, precisava dum papel da Repartição, aí combinamos: arranjei-lhe o papel em dois tempos e ele passa-me duas grades de cerveja por semana. Grátis, grátis, claro. O papel também foi de borlex e salvou-lhe a vida, ou quase. Sem esse papelito, nenhuma transferência para o exterior e ele tem a mãe na Melói, deve mandar-lhe dinheiro todos os meses. Compreende? Como eu mando no serviço, sim, mando no serviço, porque isto de ser primeiro-oficial é um cargo importante... Mais do que se pensa, nós somos os que ficamos na sombra, parece que não valemos nada, mas afinal nada se faz se não quisermos. O chefe bem pode barafustar, mas um papel esquecido na gaveta e acabou, tudo emperra, o assunto não se resolve. Como dizia, eu é que mando realmente no serviço, por isso consegui arranjar imediatamente o documento. O chefe olhou-me de lado, a desconfiar, mas eu sou muito diplomata e relembrei-lhe umas operaçõezitas nada católicas que ele tinha feito ou deixado fazer, vai dar ao mesmo, bastou dar-lhe a entender que me lembrava delas e zás, a assinatura do chefe estava lá no papel. Bendita assinatura, vale-me duas grades por semana. Oh, também tenho um esquema para a carne, o peixe, as verduras, a roupa... Porque essas lojas oficiais não têm nada. Entro nos nossos tempos, não estamos no socialismo esquemático? Estou bem governado, a minha mulher não entra numa bicha, não. E agora já esquematizei para um aparelho de televisão. A cores? Ainda não, ainda ando pelo esquema nacional, não entrei na importação.

Mas falávamos sobre o cão... É curioso como descobriu que conheci esse cão. E note que ele não tinha nada de especial, contei o caso várias vezes e como as pessoas são invejosas, talvez por isso se lembrem e lhe disseram. Pois era, sim senhor, um pastor-alemão. Uma beleza, fala-lhe quem percebe de cães, cães e papéis é comigo. Daqueles cães que serviam na polícia, dizem que também no exército colonial para apanhar os guerrilheiros feridos... Mas este não estava treinado, se via. Gostava de bater a Mutamba, talvez por haver muita gente e poder apanhar umas boleias.

Pois saía eu do meu serviço, a pasta debaixo do braço, quando tropecei nele. Assustei-me, porque não confessar? Mas ele não mostrou rancor. Olhou-me só. Assobiei de admiração. Bonito bicho! Pois bem, ele seguiu-me. Habitualmente apanho ali mesmo o maximbombo. Mas nesse dia estava cansado de aturar esses tipos todos que nos vão chatear na Repartição, a exigir que uma assinatura seja feita em menos dum mês – veja lá, como se usássemos chancela! – as mulheres a berrar abaixo a burocracia, que sabem eles disso, diga-me lá, uns camponeses ignorantes que apanharam a boleia da independência para viver numa cidade, a confundirem ordem com burocracia... A burocracia é reprovável, lembro-me dum escrito de Lenine sobre o assunto, mas a ordem é necessária. E boas maneiras... Mas esta gente de hoje já esqueceu a exploração colonial, julgam que têm todos os direitos, mesmo de terem as coisas mal as pedem, como se no tempo colonial fosse diferente... E devemos confessar (pois a sinceridade é o primeiro princípio do marxismo e informar com verdade é fazer a Revolução), devemos confessar que os tugas lá nisso de administração sabiam fazer as coisas. Eu aprendi com eles e não tenho vergonha de o dizer. Dava trabalho, às vezes um gajo bravava mesmo, mas era preciso. Os papéis sempre direitinhos, as cópias certinhas, o classificador geral em ordem, os arquivos especiais, etc., tudo bem ordenadinho, limpo, sem uma ressalva, bem agrafados ou furados, enfim, um gosto, um prazer, um orgulho de profissão... E as pessoas devem esperar, pois claro que devem esperar, também não têm mais nada para fazer pois não trabalham, andam só nas bichas e arrumar e classificar tudo como deve ser leva o seu tempo e se nos começam a gritar mais depressa, mais depressa, acabamos por nos enervar e estragamos tudo. Mas essa gente não percebe nada da arte de governar um país, pudera, a maior parte veio do mato agora ou do Zaire, e só chateia... E um kota fica com o saco cheio, os nervos estouram, pontadas na cabeça...

Assim saí eu da Repartição nessa sexta-feira à tarde. Por isso resolvi não me meter no maximbombo, mas antes desanuviar os miolos mexendo as pernas. Tanto mais que no dia seguinte não ia trabalhar... Como? Feriado? Não, nada disso. É que não vou trabalhar no sábado de manhã. As 44 horas semanais? Faço quarenta e já chegam muito bem. Na segunda-feira assino o livro-de-ponto do sábado, o chefe fecha os olhos. Possas, as quarenta horas semanais são um direito dos trabalhadores, julga que não conheço a maka que passou no Primeiro de Maio lá nos Estados Unidos? Andaram a politizar-nos para quê então? Se aqui voltaram atrás e acrescentaram mais quatro ao horário, isso é lá com eles do Governo, não tenho nada com isso, mas não cumpro. E o chefe não diz nada. Sabe? É mulato, tem medo de mim que se pela. Por isso não abre os olhos, ou faz por fechá-los. Quando me chatear, acuso-o de pequeno-burguês e fica à pega com o resto dos funcionários. A coisa de que um mulato tem mais medo é de ser acusado de pequeno-burguês. Então não são?

Como estava contando, choquei com o cão e segui. Ele colou-se a mim. Sempre na esteira. Atravessei ruas, acelerei o passo, voltei para trás, e ele sempre. Não me largou. Concluí que não tinha dono e pus-me a pensar que podia aproveitá-lo para guarda. Com os ladrões que há aí, um cão grande é sempre uma garantia. A minha barona não se ralaria, pois vivia no terror de ser roubada. Tinha de quê: durante estes anos, juntamos umas coisitas lá em casa e aqueles momentos de confusão de antes e logo depois da independência não voltam mais, em que um vivaço podia arrecadar umas coisas dadas de presente pelos colonos em pleno bazanço. Tinha mudado para uma vivenda na Cabral Moncada, coisa boa, casa de burguês, quintal à volta. Num apartamento é que um cão desses é chato. Além disso, para os miúdos era uma alegria. Ia pois refletindo nas vantagens de o adotar. Quanto à comida, bem, era só apertar mais com o esquema da carne, essa importada da Argentina tem tantos nervos e gordura que uma parte ia sempre pró lixo... Podia ficar com o bicho.

Cheguei a casa e ele aceitou entrar. Nesse fim de semana ficou lá. Dormiu na varanda, pancava que nem um elefante, em dois dias o pelo estava mais lustroso. Engraçou com os miúdos que sábado e domingo só brincaram com ele. Dei-lhe o nome de "Leão dos Mares", um nome cheio de força, original até. E eu estava contente com o meu cão pastor-alemão. Sobretudo porque a vizinhança enciumou; escondiam, mas era evidente. Nenhum deles tinha um cão assim. Vinham até visitar-me só para ver o bicho. Todos concordavam que era o mais bonito da cidade. Onde o arranjei, se tinha comprado, se no Lubango, perguntas um monte, ciúmes bué. Fiquei mesmo orgulhoso. Porque realmente não fiz nada para apanhar tal cão. Encontrou talvez em mim uma pessoa à altura para ele, alguém que se sabia fazer respeitar. Os cães são assim, conheço-os bem. Gostam de quem tem qualidades de chefe, de quem lhes dá segurança.

Vai mais uma cuca? Ó Minga, traz embora duas cervejas. Geladas, bem geladas, a partir dentes... Pois bem, estava a dizer? Ah, sim... A vizinhança enraivada nas escondidas, os miúdos contentes, a Minga nem se fala, enfim. Só que, depois de uns dias, comecei a achar que o Leão dos Mares não parecia nada guarda. De dia brincava com os miúdos, à noite dormia. Nunca ladrava. Nem um gato passava pelo quintal à noite para o obrigar a ladrar? Não era isso, ele é que se estava nas tintas. Os dias foram passando e eu a observar o bicho. Pacífico, simpático, brincalhão com as crianças. Tão amigo de todos que até deixava os monas da vizinhança virem roubar as mangas do meu quintal. Aí bravei. Já era demais. Comia a minha comida e não servia para nada. Amarrei-o com uma grande corda à mangueira. De dia ficaria amarrado, à noite ficava solto. E carreguei-lhe no jindungo na comida do almoço. Na passagem lhe conto que tive de vuzumunar umas chapadas num dos miúdos que protestava contra a prisão do cão. Pois é, esses kandengues de agora, com as porcarias que andam a aprender na escola e nas ruas, já refilam com os pais: que o povo tem o direito à palavra e eles são o povo. Veja lá! Na minha casa, não. Eu falo e o resto ouve. Quem traz o dinheiro para casa? Quando eles ganharem o seu sustento e tiverem uma mulher em quem mandar e bater, então aceito que venham discutir comigo. Antes não, sou eu o chefe. Com este feitio enérgico é que subi na Repartição, se fosse um mole, um pau-mandado, ainda hoje era escriturário-datilógrafo de segunda, como na altura da independência. Zanguleiu pois uma porrada num dos miúdos para mostrar quem era o soba, o bando aquietou-se. E o cão lá ficou amarrado mesmo à mangueira, enquanto eu fui trabalhar. O Leão dos Mares não refilou, ficou só amarrado a olhar-me.

Durante a tarde, lembro-me ainda muito bem, discuti com o Américo, meu colega e amigo, sobre o cão. Dizia o Américo que o comportamento do Leão dos Mares se explicava facilmente. Ele não sentia ainda a casa como sua, cão vadio da cidade, habituado a apanhar comida de qualquer maneira, a conhecer todos os dias gente diferente. Por isso era normal deixar entrar todas as pessoas na minha casa, não sabia que uma casa era propriedade privada. Era um cão socialista, isso de propriedade privada não era nada com ele. Gozei o Américo, que apesar de bom moço é um pouco estreito de vistas, demasiado teórico. Arrebentei com os argumentos dele imediatamente, fazendo uma análise profunda, das minhas. O cão tinha masé um complexo de culpabilidade, porque tinha sido certamente utilizado pelos colonos para guardar as suas casas. Com a independência, compreendeu que estivera do lado errado. Agora exagerava, tudo por causa do seu complexo de culpa. Nem tanto ao mar, nem tanto à terra. Eu ia endireitá-lo, mostrar qual era o seu papel de cão. E, Américo, não venhas com essa de que ele não tinha nascido no tempo dos tugas, nunca ouviste falar da memória genética, da memória da raça? Se o chefe não viesse, a discussão não ia mais parar. Esse Américo é assim, bom moço mas teimoso como ele só. Teve até a lata de dizer que isso de memória genética era teoria nazi, sem saber que eu tinha lido num livro para crianças que comprei para os meus filhos. Ele vê política em tudo, lá porque o Leão era de raça alemã, já queria misturar nazismo na discussão. Enfim, creio que lê demais. Nunca há de subir no serviço. Mas isto para mostrar que eu estava admirado com a atitude do Leão dos Mares e disposto a educá-lo corretamente.

Pois é. À noite soltei-o. Ficou a dormir na varanda, como sempre. No dia seguinte de manhã tinha desaparecido, o ingrato.

Vi-o várias vezes na Mutamba, a apanhar as suas boleias. Mas sempre que me aproximava dele, bazava a sete pés. Um sacana dum ingrato! Há muito tempo não o vejo, parece que mudou de bairro. Ou morreu atropelado! É o destino de qualquer pessoa ou bicho que passa a vida nas ruas, com esses condutores de agora que imitam os cães, sempre à procura dum poste onde pousar uma roda do carro.

A buganvília 2

Estou de férias. E é bom passar as férias na quinta. Quando quero distrair-me vou a Luanda: são só vinte quilômetros.

Fico a ver os trabalhadores bailundos a tratar das árvores de fruta e a fazer a horta. Depois leio. Como, durmo, vejo os trabalhadores, leio. E brinco com o Lucapa. Não é uma rica vida?

No outro dia veio a Odete visitar-me. Ficamos todo o dia a conversar. Ela tem um exame na segunda época, por isso não pode vir passar férias comigo. É pena, é a minha melhor amiga.

O Antônio, o mais velho dos trabalhadores bailundos, trouxe-nos as primeiras goiabas. A Odete disse que na zona de Luanda nunca tinha visto goiabas tão boas. O meu pai é da mesma opinião. Vai começar a mandar vendê-las na cidade. As laranjas e as tangerinas ainda não estão maduras.

A buganvília continua a crescer e um ramo já se agarrou a um arame do alpendre e sobe. Em breve dará flores. De que cor serão?

Luanda assim, nossa

Estava eu na varanda da minha casa, ao frescor, em conversa mole com o Malaquias, bom amigo apesar de malanjino (já aí volto), quando o cão pastor-alemão farejou para dentro do quintal.

(Mas um momento só. É curioso como o camarada soube que eu conhecia o bicho. Vocês, escritores, têm um faro danado! Não interessa, continuo a escrever. Depois corte este parêntesis. Faço confiança, prometeu só publicar isto depois de eu bater as botas. Agora, no estilo deste conto não lhe toque, não admito, pois também eu fui fadado pelas musas. Nem uma vírgula muda, entendeu?)

Pois o Malaquias disse logo:
— Lindo cão! Abre-lhe a porta para ele entrar.
— Tás doido? Sei lá quem ele é...
— Depois sai embora. É capaz de ter fome.

Não sei até hoje por que acedi. Desses gestos que as pessoas têm! Juro que em minha casa nunca entrou nem cão nem gato, bicho só para comer, era o que mais faltava. Deixei o cão entrar no quintal, até mandei a mulher lhe dar de comer. E ele atestou bem a barriga, deitou-se logo a seguir na varanda.

— Pensa que está em casa dele — disse eu, ainda admirado por ter aceitado tal situação.
— Deixa. Eu levo-o para a minha, se não quiseres ficar com ele.

Este Malaquias é assim mesmo. Um sonhador. Conheci-o na maka que nos opôs em 57. Não se lembra talvez, mas nesse ano houve a mais monumental pancadaria entre malanjinos e catetenses, aqui em Luanda. Tudo no seio da Igreja Protestante. Muito boa gente esteve nela, hoje até alguns somos importantes. Os malanjinos meteram-se conosco e apanharam de criar bicho.

Queriam dominar a Igreja, quando nós tínhamos sido os primeiros a aderir, os que lhes demos força. As gentes de Catete não se deixam pisar, são uns homens bíblicos. É isso, não há outra definição. A maka foi fruto de ressentimentos antigos deles que ainda hoje estão vivos; os malanjinos escondem, mas esperam a desforra. Digo-lhe, deixem os malanjinos tentar levantar a cabeça que lha cortamos de vez. Depois da maka acabar, ficamos amigos. É a única exceção que faço, é o Malaquias. Porque em minha casa nem cão, nem gato, nem malanjino.

– Luanda não é cidade para um cão andar. É uma confusão. Vou tomar conta dele – disse o meu amigo.

Todos falam mal da nossa cidade e lá estava o Malaquias inocentemente a pôr jindungo na ferida. Dizem não se consegue pôr isto direito. Desde que o colono bazou, passou ainda pouco tempo. Mas como querem que se ponha esta Babilônia em ordem se aqui vivem malanjinos, ilhéus, ambakas, umbundos, quiocos e até mesmo mulatos? Dos brancos já nem se fala, é uma confusão de brancos de vários cambiantes, angolanos (dizem!), suecos, franceses, soviéticos, brasileiros, cubanos, portugueses... Uns mais rosados, outros mais tisnados... E sem falar nos kikongos que sonham tornar Luanda na nova capital do novo Reino do Kongo (julga que não lhes conheço os intentos?). E os lingalas então, os recentíssimos angolanos? Isto é uma Babilônia ingovernável, uma Torre de Babel. Os esgotos não funcionam, as ruas parecem queijos, as árvores imitam as ovelhas da Europa, tosquiadas rentes, os ratos confundem-se com coelhos, os passeios sujos, os prédios a feder de podres, a luz elétrica sempre com falhas, os jardins mortos. De quem a culpa? A gente não trabalha, dizem os não filhos da terra. Mas nós, os genuínos, sabemos que o problema reside na diversidade da população. Não é possível: malanjino com ambaka e bailundo não dá. Só servem para estragar, sujar, não são civilizados. Daí vem o drama todo. Se me deixassem, expulsava daqui todos os não-genuínos, todos, esses é que empestam a cidade. Ia

ver que num mês Luanda era uma cidade orgulho nosso.
Mas não podia dizer isto tudo ao Malaquias, pois ia logo pôr rótulos importados.

– Vou levar esse cão para casa – repetiu ele.
– Tu é que sabes. Mas previno-te que filho de cobra é cobra.
– Ora!
– Estou falar a sério. Esse é um cão-polícia, um pastor-alemão.
– Isso já eu vi. E então? O problema é porque come muito?
– Não – retorqui eu. – Isso resolve-se com um esquema qualquer e vocês, malanjinos, são os donos dos esquemas. Esses cães são os que os polícias coloniais usavam para nos caçar antes de 61 e sobretudo depois. Estão treinados para morder os patrícios.
– Isso foi há muito tempo. Este cão é novo, já nasceu depois da independência.
– E então? Estes cães serviam para guardar as casas dos colonos, não deixavam entrar nenhum bumbo que não fosse criado da casa. Mordiam os negros, rosnavam nos mulatos, lambiam as mãos dos brancos...
– Este não. Já é filho de Angola independente...
– E não guardou no sangue os ódios antigos? És um ingênuo. Repito: filho de cobra é cobra. Esse ditado do nosso povo ensina muita coisa. Infelizmente estamos esquecer, com essas novas ideias vindas da Europa: que as pessoas mudam com as condições! Nem mesmo um cão muda, quanto mais pessoa... Até filho de colono já aceitamos como nosso!
– Então porque não nos mordeu? E está a dormir aí todo sossegado?
– Marx disse: primeiro a barriga, depois as ideias e os sentimentos.

Malaquias abanou só a cabeça, não respondeu. Ficou esmagado com a citação do seu ídolo, tinha o retrato desse branco judeu na sala de visitas. Mas senti que não o convenci e por pura amizade insisti:

– Filho de cão racista é racista. Esse cão tem o vírus do ódio ao negro, da desconfiança ao mulato, do respeito ao branco. E de vírus percebo eu, tenho obrigação. Não há educação que lhe chegue, vai morrer racista. Tinha fome, aceitou comida de patrício. Mas depois de jiboiar, não sei o que vai acontecer. Leva-o para casa e depois conta-me do teu arrependimento.

Malaquias, malanjino teimoso (todos eles são), com manias de superior (é o que lhes estraga, lá porque têm diamantes e as mais bonitas quedas de água), teimou em levar o cão. Eu mudei a conversa já não sei para que tema, não valia a pena insistir contra a casmurrice dum malanjino.

E o meu amigo Malaquias levou mesmo o pastor-alemão. O sacana do cão (desculpe a expressão, não muito literária, mas é a única que serve; se quiser, aqui permito-lhe mudá-la no definitivo), pois, o sacana do cão nem despediu de mim. Pancou a minha comida e nem despediu! Orgulhoso como o novo dono dele... Seguiu o malanjino, a agitar a cauda satisfeita.

Ficou em casa dele uns tempos, depois desapareceu. Malaquias diz nunca soube porquê, nada que tinha acontecido de justificativo. E sempre se portou bem lá em casa. Você está a perceber, não? Teimoso como é, Malaquias nunca que podia reconhecer a minha razão ao avisá-lo. Sempre afirmou que o cão era o melhor do Mundo e arredores e sofreu muita saudade ao perdê-lo. Esses malanjinos mentirosos... Até o pode ter envenenado, só para se livrar dele e não dar o braço a torcer. Oh, são mestres no veneno!

(Bem, aí está o que sei desse cão. Mas confio em si, camarada escritor, só publica isto depois de eu morrer. Nunca se sabe as voltas que a vida dá, até pode ser que os de Malanje ganhem força e eu prezo muito o meu futuro, embora que já estou velho. Porque essa gente, falsa como é, até me pode acusar de tribalismo, andam sempre com o rótulo desbotado na mão para aplicar na primeira garrafa que apanham.)

Ata

– – – – – – Aos vinte e cinco de novembro de mil novecentos e oitenta, reuniu a Comissão sindical e a Direção da empresa com o camarada JOÃO VENÂNCIO DOS SANTOS, técnico desta empresa económica estatal, e com a seguinte ordem de trabalhos:
– – – – – – Ponto único: crítica e autocrítica do Cda Venâncio.
– – – – – – Entrando no ponto único da ordem de trabalhos, o camarada Diretor da empresa foi o primeiro a receber a palavra da mão do Cda Coordenador da Comissão sindical, cujo o camarada Coordenador presidia. O Cda Diretor explicou que quando o Adriano foi apanhado com a mão nalguns panos cujos panos ele desviou do armazém da firma, ao ser interrogado, afirmou lhe parecia o Cda Venâncio lhe tinha descoberto. Aliás, o dito Adriano acusou ali mesmo o Cda Venâncio de lhe denunciar. O Cda Diretor achou estranho e pôs o caso ao Cda Venâncio, o qual é chefe dos armazéns. Que este, segundo o Cda Diretor, confessou logo de fato desconfiava do Adriano. E mais tarde veio mesmo ficar quase com certeza que só o Adriano podia andar a desviar embora os panos da fábrica. Que não lhe denunciou nada porque estava à espera de mais provas. Insistindo o Cda Diretor com ele, o Cda Venâncio acabou de reconhecer que os indícios eram suficientes demais para avisar o Diretor e a Comissão sindical sobre o Adriano. O Cda Diretor afirmou ainda que, na sua pertinente opinião, o caso agora não devia ser encarado no ponto de vista judicial mas apenas de trabalho e por isso pediu esta reunião com a Comissão sindical para se estudar o assunto profundamente, no âmbito da empresa. A favor disso militava o fato de o Cda Venâncio ser um trabalhador destacado, fervoroso animador da ODP na empresa, e até aqui um exemplo para os outros trabalhadores. Sentou-se o Cda Diretor depois

desta importante intervenção, bastante apreciadíssima pelos presentes. –
– – – – – – A palavra em seguida foi dada ao Cda Venâncio que a recebeu e começou a pedir desculpa ao Cda Diretor e aos membros da Comissão sindical pela sua emoção, que se notava muito bem, mas era a primeira vez na sua vida que fazia autocrítica. Reconheceu logo que tinha culpa de falta de vigilância, porque quando começou a desconfiar do Adriano devia de ter avisado imediatamente a Direção e podia-se ter preparado uma armadilha ao camarada ladrão. Felizmente apareceu aquele cão pastor-alemão, anjo vingador, que corrigiu o seu erro, ao se agarrar no pano cuja uma ponta andava sair das calças do Adriano quando este pulou embora o muro da fábrica. Se não fosse o cão, até hoje que o Adriano andava nas calmas, a fingir trabalhar e a roubar o suor dos operários, tudo por culpa dele, Venâncio. –
– – – – – – Perguntado pelo Cda Coordenador da Comissão sindical, que presidia à reunião, por que não avisou a Direção do seu desconfianço, o Cda Venâncio disse houve vários motivos. Como todos viam, ele era branco. Que teve medo de lhe acusarem de colono, porque estava avisar sem provas. E que por outro lado tinha pena do Adriano, com família numerosa, explorado e humilhado no tempo colonial, porque a culpa no fundo não era do Adriano se queria aumentar o que ganhava na fábrica com o desvio de panos, mas do colonialismo que não tinha educado as pessoas. Mais disse o Cda Venâncio que se bateu muito tempo na dúvida e até pensou falar com o próprio Adriano, a sós, para o convencer a ser honesto. Mas teve medo, pelos motivos atrás expostos, que o Adriano reagia mal e que saía por aí embora a dizer se pensava que ele era ladrão por ser negro é porque ele, Venâncio, tinha ainda mentalidade de colono. Que ser acusado de colono era insulto que lhe doía mais que tudo. Terminou a sua alocução comovida, dizendo que lhe fazia ainda confusão certas noções da nossa República Popular

e que deviam compreender que ele nunca fora politizado, a independência lhe apanhou de surpresa, e até pertencia a uma classe social que no colonialismo era utilizada sem consciência contra os interesses dos angolanos. Por isso às vezes ele não sabia muito bem como proceder, tinha medo de ir contra os princípios da República por falta de política e por ideias caducas que ainda podiam estar na sua cabeça, dele, Venâncio. Que agradecia aos camaradas que lhe ajudassem e lhe criticassem sempre que fosse necessário. Que estava disposto a cumprir qualquer sanção que os camaradas impunham, mas que não o tirassem da fábrica onde já trabalhava tinha muitos anos e os amigos dele todos estavam aqui na dita empresa. – – – – – – –
– – – – – – Comovido com a emoção do Cda Venâncio, falou em seguida o Cda Domingos, mecânico e membro da Comissão sindical, que lhe criticou pela sua moleza e falta de confiança. Podia ter prejudicado a empresa só por não ter coragem de acusar o Adriano, por este ser negro. O Partido já tinha posto tudo claro e o Cda Venâncio tinha obrigação de saber, porque nunca falta em nenhum comício, que o argumento racial já não pega para esconder crimes como o praticado pelo Adriano. Terminou dizendo que tinha certeza esta sessão ia ajudar mesmo a Cda Venâncio e por isso o seu castigo era só esta crítica que lhe faziam os colegas, ao que todos os presentes apoiaram, balouçando as cabeças. –
– – – – – – Se apoderando da palavra, o Cda Amadeu, estofador e membro da Comissão sindical, apoiou as palavras todas dos oradores que lhe precederam e só ia dar uma achega ao aprofundamento do tema. Se admirava muito um Cda Venâncio, um trabalhador destacado, um membro da ODP da fábrica, um branco bom, afinal ele ainda tinha essas ideias na cabeça. No fundo dos fundos ainda que não estava libertado dos complexos e das taras que lhe trouxeram o colonialismo nesta terra onde no antigamente, antes dos brancos, não tinha racismo. Tanto mais lhe admirava que o Cda Venâncio trabalhava e vivia

com todos, os seus amigos éramos todos, os operários, nos tiros de 75 dormiu mesmo escondido na casa do Cda Amadeu, no musseque Rangel, porque uns bandidos fenelas queriam lhe matar por ser bom branco. Já tinha tempo de deixar essas ideias para trás. Como castigo, devia ficar sempre com a lembrança que foi um cão pastor-alemão que lhe corrigiu. E o mais grave, um cão que nem era da fábrica nem os conhecia de lado nenhum, ia só a passar na rua cheirando o rabo dos outros. E alemão ainda por cima, nem português que ainda era meio parente. –
– – – – – – À pergunta final do Coordenador da Comissão sindical, todos foram de acordo em encerrar o caso e o castigo do Cda Venâncio ser a crítica que lhe foi feita e ele aceitou, agradecido. Agarrando então na palavra vaga, o Cda Coordenador agradeceu a contribuição de todos e o bom espírito de autocrítica do Cda Venâncio e terminou o seu improviso dizendo que o sindicato era para ajudar a resolver os problemas da fábrica e dos trabalhadores. –
– – – – – – Não havendo mais nenhum ponto na ordem de trabalhos se encerrou a reunião, tendo eu, Álvaro Fontes Antunes, secretário da Comissão sindical, feito esta ata que vou assinar. –

ass. Álvaro Fontes Antunes

Anúncio do *Jornal de Angola*

"PROCURA DE PARADEIRO
Cão de raça pastor-alemão,
aparentando 3 anos de idade
e dando pelo nome de Cupido.
Gosta de passear na Mutamba.
Tenham piedade da sua dona inconsolável,
viúva, 40 anos,
sem mais ninguém na vida.
Permitem que seu coração esfrangalhado volte a viver.
Telefonem para 11 218."

NOTA: O autor jura por todos os santinhos, sangue-de-cristo,
e pode provar que não é anúncio do tempo colonial.
Aliás, no tempo colonial, não existia *Jornal de Angola*.

O mal é da televisão

Camarada escritor:

Escrevo-lhe esta carta, conforme me pediu, para contar o que sei sobre o cão pastor-alemão. Agradeço me corrija as faltas e a pontuação, para sair bem no livro. Aí vai...

O meu pai apareceu um dia com o cão em casa. Disse andou sempre a seguir-me, não me quer largar mais. Eu fiquei contente, um lindo cão e inteligente. Demos-lhe o nome de Jasão, foi o meu pai que escolheu o nome, pois gosta muito de lendas gregas. Jasão aprendeu logo o nome, era esperto.

Quando eu ia para o Instituto, onde estou a estudar Planificação, o cão queria ir comigo. Às vezes até foi. Ficava à espera que eu saísse das aulas e acompanhava-me a casa. Sempre grande e calmo, um senhor. As garinas rodeavam-no logo, a fazer festas, ele deixava, até cheirava por baixo das saias e provocava risos malandros. Quem aproveitava da popularidade dele era eu. Por isso até que gostava da sua companhia. Mas o meu pai xingava-me sempre por o levar. Achava não ficava bem o filho dum responsável, mesmo se pequeno, andar com um cão. Isso era prática de outros tempos que devíamos combater: os filhos dos governadores ou senhores coloniais é que andavam assim! Podíamos ter o cão, mas em casa, sem dar nas vistas, para que as massas não fizessem paralelos incômodos com os tempos antigos.

Mas vou explicar agora como foi que a tragédia aconteceu.

Um dia cheguei a casa e estava o meu pai com o Antônio Radiador (nome do bairro). O Antônio é um bom mecânico, mas tem dificuldades em trabalhar por falta de peças para os carros. Vai pois fazendo uns biscates, em baixo dum imbondeiro, que o deixam viver mas mal. Diz que podia enriquecer, se quisesse. Bastava entrar no esquema dos carros roubados. Aceitar desmontá-los para os refazer com outras carcaças. Ele é honesto e nunca aceitou entrar nisso. Continua pobre, como muitos.

Dizia o meu pai:

— Vocês não compreendem nada de política. Não trabalhamos, não resolvemos, não trabalhamos... Sabes quantas reuniões fiz hoje? Quatro! Imaginas o que são quatro reuniões?

— Quatro reuniões, não imagino, não. Em termos práticos, o quê que isso significa?

— Ora. Decisões, esclarecimentos, análises...

— Os esclarecimentos e as análises não me interessam. Que coisas decidiram?

— Várias coisas.

— Por exemplo?

— Possas! Já que queres, vou dizer-te, embora seja confidencial. Numa decidimos que vamos organizar um seminário de sensibilização para as massas. Claro que terei de ir abrir o seminário, fazer o discurso. Se calhar, também o encerramento. Mas aí pode ser que vá outro, duma estrutura superior.

— E mais?

— Noutra decidimos que a situação está difícil. Abastecimentos insuficientes, falta de transportes, etc... Conheces bem demais o que vai por aí.

— Portanto não descobriram nada de novo. Se foi para descobrir o que eu já conheço... E que decidiram?

— Que vamos fazer uma reunião mais ampla para analisar as causas objetivas e subjetivas e depois talvez fazer um seminário para se estudar as medidas a tomar.

— Não tenho razão? E que mais decisões em quatro reuniões?

— Tu és chato mesmo! Que é preciso combater a indisciplina. Mas possas, parece um interrogatório.

— E é mesmo — disse o Antônio Radiador.

– Não sei como te aturo com as tuas observações.
– Deixa lá de lado o aturar e não aturar. E como vão então combater a indisciplina?
– Oh, não ficou muito bem definido. As opiniões divergem, não se chegou ao consenso. Uns são pela explicação, outros pela linha dura, há até uns cacimbados que já põem tudo em causa. E tu pareces um deles! A política não é como a mecânica.
– Isso já percebi há muito tempo. Na mecânica não pode haver desculpas. Ou o carro anda ou não anda. As mãos e a cabeça é que têm de consertar o que está estragado, não as palavras.
– Isso é piada ou uma crítica? – cortou o meu pai irritado.
– Calma, calma, hoje estás nervoso... Pudera, com tantas reuniões!
– Sim, estou nervoso, esgotado com tanto trabalho, tanta responsabilidade. E amanhã vou ter de inaugurar uma escola. Baldaram-se todos, tem de ir lá alguém. Sai mais um discurso. Ainda nem pensei no que é preciso dizer.
– Oh, isso sai-te de improviso nas calmas. Já tens muita prática. Vais cortar a fitinha para a inauguração?
– Possível. Não sei como o bairro organizou aquilo.
– Qualquer dia chamam-te o corta-fitas e papa-reuniões... Já há gente que desliga a televisão quando a tua cara aparece.
– Queres-me desmoralizar, Radiador? Se fosses da reação interna, já não me admirava nada.
– De reação só percebo essa de aviões, e só de ler.
– Pois de política, mesmo sem ler, parece que alinhas nela.
– Gostava mesmo é que vocês mexessem um coche também com as mãos. Somos amigos, tenho dever de dizer o que sinto. Quando os fenelas estavam aqui em Luanda, neguei arranjar os carros do Éme, qualquer hora que fosse? Cobrei alguma vez? Não roubei mesmo peças dos outros carros para consertar mais depressa os vossos? Nunca pedi nada em troca nem vou pedir. Por isso tenho o direito de dizer o que sinto e mesmo dar conselhos. Curem-se dessa doença da reunite!

— Bom, basta de conversas, não te quero ouvir mais. Somos amigos, ajudaste muito, mas já estou farto de piadinhas...

E o meu pai não quis mesmo mais conversas. Despediu de maus modos o Antônio Radiador, nem o deixou acabar a cerveja. Este piscou-me o olho ao sair, como quem diz que compreendia, não levava a mal. Eu gosto mesmo do Radiador, fiquei mais tranquilo.

Quem não ficou nada tranquilo foi o meu pai. Não estava parado um instante, nenhuma cadeira o segurava. A mãe escondeu-se na cozinha, num habitual recuo estratégico, às vezes os nervos dele eram descarregados em alguém. Eu fiquei na sala, por solidariedade com o velho. O Jasão também. Não o íamos abandonar em momento difícil, não acha?

— Estes gajos, lá porque são operários, agora pensam que só eles trabalham... Nem operário é. Biscateiro é operário? Nada. É dono dos instrumentos de trabalho, é pequeno-burguês.

Não respondi, fiz só cara muito séria. Andava a estudar essas coisas no Instituto, o assunto interessava. Aliás, a definição parecia correta, na teoria o meu pai sempre foi um batuta. Podia descarregar os nervos em mim, falando, fazia-lhe bem. Mas só falando, porque eu não admitia que descarregasse de outra maneira, como fazia com a mãe.

— Acho que exageramos. Todo o poder à classe operária!

— Não é o que os kotas dizem sempre?

— Claro, claro! Também ao ponto a que chegamos, não se pode dizer outra coisa. Mas depois tomam-se pelos reis do Mundo. E todos ficam com o título de operários, mesmo se de fato não são. Que só eles trabalham, não foi o que ele disse?

— Deu a entender...

— Trabalham! Os números, as estatísticas de produção não dizem isso.

— As estatísticas, às vezes, pai...

— Sacanas, ingratos... Todos somos operários. Eu não trabalhava numa fábrica antes de ser preso em 73? Estudei uns livros na cadeia, virei político, mas sou operário na mesma.

Calei-me, pois parecia que a crise estava a passar. Coitado do meu pai, sempre com tantas preocupações, ainda vinham os amigos chateá-lo a casa! Mas enganei-me: a crise ia explodir.
– Tu achas que é verdade o que ele disse? – perguntou em voz mansa.
– O quê, pai?
– Que quando apareço na televisão as pessoas desligam?
Quem tivesse ouvido o Radiador pensava que o pai todos os dias estava na televisão. Não era verdade, ele não tinha cargo tão importante como isso.
– O pai apareceu duas ou três vezes só.
– Ultimamente tenho aparecido mais. Mas achas que é verdade?
Os olhos desorbitados dele meteram-me medo e joguei à defesa:
– Ora pai, talvez que só baixem o som. É o que fazem as pessoas quando estão cansadas de papos.
– Baixam o som? – berrou ele, os olhos ainda mais saídos. – Achas isso? E ficam a ver-me falar, sem som, feito um palhaço? E riem de mim?
Aiué, o que fui dizer! Quis ser amável, ainda estraguei mais. Mas se era verdade, já tinha visto na casa de amigos, achei natural... A verdade saiu, agora era tarde demais para corrigir.
– Rir não sei, nunca vi. Mas baixar o som, sim.
Ele levantou, feito numa fúria. E de repente lançou uma cadeira contra o aparelho de televisão, que se escaqueirou. Como íamos agora ver o futebol e a telenovela brasileira? – gemeu o meu coração apertado. A minha mãe deve ter-se encolhido na cozinha, mas nem apareceu. O Jasão levantou a cabeça por causa do barulho, e o pai, feito vendaval, tropeçou nele. A fúria cresceu ainda mais, já nada a podia conter. Gritou:
– Esse cão não tem nada que estar aqui na sala, já te disse. Que chatice! Rua, rua...
O Jasão olhou para ele com aquele olhar bom que tem, não estava habituado que lhe gritassem, não ligou puto.
A raiva mudou de azimute:

— E já te disse para não o levares ao Instituto! — encolhi-me à espera da sequência. — Fazem-me de palhaço, riem-se de mim esses reacionários, qualquer dia dizem que sou um burguês porque tenho cão em casa. Não quero que leves mais o Jasão pra rua.

Aí foi o drama que até hoje me faz lamentar. Ouvindo o seu nome, o pastor-alemão levantou, com aquele sorriso bom dele. O pai estourou:

— Também tu ris de mim, filho da puta?

E deu-lhe um pontapé com toda a força. Gritei, a mãe venceu o medo e apareceu, o Jasão saiu, sem ganir nem rosnar. Saiu só.

Depois o pai acalmou. Saí procurar o cão no quintal e ele não estava.

Às vezes vejo-o na rua, chamo pelo nome. Ele vem, lambe-me as mãos. Mas se o tento segurar para levar para casa, ele foge. Fico meses sem o ver.

Foram só os nervos do meu pai, sei que ele gostava até do cão, tratava-o sempre bem, foram só os nervos. Tanto trabalho que ele tem, coitado! Por isso não guardei ressentimento, lamento só. Fez-me perder o Jasão, mas não lhe guardo ressentimento. Quer dizer, faço esforço para não guardar.

Camarada escritor, corrija a linguagem, está bem? E arranje maneira de o meu pai não ler esse livro, senão vai-se chatear comigo e agora tenho um macaco que pode pagar por isso. Mas repito, o pai não teve culpa, não teve, não, culpa é do trabalho.

Obrigado.

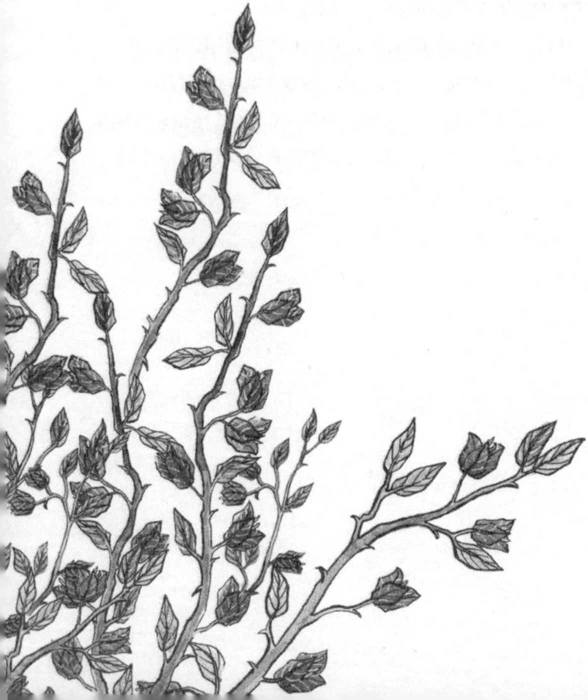

A buganvília 3

O Xico recusou vir para a quinta. A mãe ficou zangada e o pai resmungou. Ele está na Faculdade de Economia e acabou agora os exames. Aprovou. Mas não abandona Luanda nem por nada. Às vezes vem visitar-nos à quinta, mas não fica. O pai diz que ele não sabe o que custa o dinheiro, por isso nem se interessa pela quinta. Acho que não é essa a razão, é só porque ele não gosta de sair de Luanda.

Também não faz mal, só vinha estragar. Não gosta do Lucapa e creio que também não gosta de mim. Acha-me uma miúda chata, como diz. É bom mesmo que fique em Luanda, a dançar com as suas amigas, para não nos estragar as férias. Assim estamos bem, só os três, mais os trabalhadores bailundos.

Eles dormem numa cubata um pouco afastada da casa-grande da quinta. Não aborrecem nada. Trabalham e depois vão para a sua cubata comer o que o pai traz de Luanda e lhes vende.

O Lucapa dorme no alpendre. Já se conformou: não ladra mais para a buganvília. Mas evita-a. E às vezes apanho-o a olhar para ela com ódio. Por quê? Até é uma planta bonita. O pai tem razão.

Quando o Antônio a quis cortar, o pai não deixou. Disse que a buganvília é a planta mais linda que há; e que é como ele. Não percebi, mas ele referia-se ao crescimento contínuo. Sinceramente, não acho que o pai tenha tendência para crescer. Mas foi o que disse, que a buganvília era como ele, lá tem as suas razões.

No mar anda uma toninha

Aqui tenho de ser eu próprio, o autor, a tomar o comando das operações. Já vão perceber.

Quem poderia contar o que aqui se narra? Que documento, testemunho, fita magnética, carta, recorte de jornal, arranjar para contentar a minha modéstia? O cão não fala, está decidido. As personagens nunca poderiam revelar o segredo sem cairmos na inverosimilhança. Tem de ser pois o autor (que por acaso estava em cima duma árvore, a sonhar com uma toninha espadeirando espuma pelos oceanos da vida). E, prazer supremo, até posso utilizar a terceira pessoa nesta narrativa. Não é todos os dias. Podem também pensar que este episódio é fictício, inventado por mim, com intuitos moralistas, de fazer poesia, de dar nas vistas, sei lá que mais pensam os detratores habituais. Tudo é permitido. Quando um indivíduo se decide a enfrentar o papel sujeita-se voluntariamente a tudo. Mas juro-vos que se passou tal-qual. E juro também que não é fácil empenhar a minha palavra numa estória (para isso há os personagens e os narradores). Quantos de vocês são capazes de dizer a verdade?

Eis os fatos:

Era para lá da Corimba, perto do Morro dos Veados. O sol caía no mar, por trás do Mussulo, e todos os violetas do Mundo se juntaram então aos azuis e amarelos para o enterro do sol no mar. Um ou outro vermelho repentino tentava simbolizar que se não tratava de morte, mas sim da cópula sempre sangrenta do sol com o mar. O que é o mesmo.

Naquele crepúsculo de luta indecisa, o carro – um calhambeque de matrícula falsa, porque recente – chegou à praia, guinchando e quase se desconjuntando nos buracos da picada.

Dele saiu um casal ainda jovem. Deram-se as mãos e pararam

à beira-mar. Ali é uma baía fechadíssima onde não há uma onda, parece um lago. Ficaram a ver a luta do sol com o mar (em que língua do Mundo o mar é feminino, como só pode ser?). Ela correspondeu à firmeza dele e encostou a cabeça no seu ombro. O rapaz beijou-lhe os lábios ao de leve, mas ela recuou a cabeça.
— Não devíamos fazer isto, Juca — disse ela.
— O quê?
— Sinto que a nossa ligação devia parar aqui. Estamos a ir longe demais.
— Ora!
Ele apertou-a mais fortemente e beijou-a com fúria. Depois o pescoço, os ombros. Ela repeliu-o.
— Gosto de conversar contigo, Juca. Tenho pouca gente com quem falar. Mas vamos ficar só nisso.
Ele não respondeu. Apertou mais, beijou-a mais, mordeu mais. E fê-la cair na areia, ele por cima.
— Não, Juca. Pode passar gente.
— Nunca há ninguém aqui a esta hora. E já está a ficar escuro, ninguém pode ver-nos... Que medo é esse?
A mão dele procurou o seio. Ela levantou num repente. Ficou sentada, ele deitado a seu lado. Falou:
— Até aqui, nada temos para lamentar depois. Paremos aqui. Aceitei vir passear contigo, está bem, aceitei. Não tinha dúvidas do que querias. Mas parou aqui. Não insistas mais, não sou capaz.
— Preconceitos burgueses, não é?
— Queres falar comigo, Juca?
— Falar! Já falamos tantas vezes... Já te demonstrei que é natural. Gosto de ti...
— Gostas apenas do meu corpo, não mintas.
— Tu não sabes se gostas de mim, mas não negas certa atração. Que mal há? Encontramo-nos, falamos, não passamos disso...
— E tu impaciente... Hoje beijaste-me. E queres mais.
— Claro, não é natural?
— Não sei, não estou segura.

— De que te gramo?
— Não é isso. Realmente nem importância tem. Não estou segura de mim, e isso é que importa.
— Não entendo.
— Não estou segura que o melhor caminho para o meu problema seja o adultério.

A palavra borbulhou na água morna de fim de dia. Os últimos raios de Sol fizeram-na explodir.

Ele puxou-a para si. E beijou-a e mordeu-a, as mãos percorrendo o corpo dela. A mulher libertou-se de novo.

— Estas coisas fazem-se num minuto e depois amargamos toda a vida.
— Exagero! Em que século estás?
— Tu sabes, não te escondi, as coisas vão mal com o meu marido. Não sei se é o trabalho exagerado, se outra mulher, se já não lhe agrado, o certo é que não me procura. E depois apareceste tu, a rondar, a insistir, palavras de amor mentirosas que ele já não me diz... Mas não posso responder-lhe assim.
— Queres uma explicação à boa maneira antiga?
— Talvez não resolva nada. Mas acho que devo ser leal para ele.
— Leal, leal... a eterna lealdade feminina! Escravização, queres tu dizer. Se ele não te satisfaz, tens o direito de procurar a satisfação noutro. É a igualdade dos sexos. Por que só o homem pode ser adúltero?
— Ele não é.
— Ainda agora dizias...
— Não é. Disse por dizer. São as preocupações, ou já não lhe agrado. Ou qualquer coisa que se passou e não percebi. Mas não há outra mulher, eu teria sentido.
— Intuição!
— Sim, se quiseres. Não acreditas?
— Vocês todas são iguais, tiradas a papel químico. São enganadas toda a vida, mas recusam-se a aceitá-lo, porque a vossa intuição diz que não. Intuição, ou apenas medo de encarar a

verdade de frente? E mesmo que ele te seja fiel, e depois? Não te satisfaz. Portanto...

A moça levantou. Se meteu na água até aos joelhos, olhando o mar que escurecia.

— Talvez eu seja covarde. Será covardia de não cair numa situação nova? Pode ser. Sempre tive medo de fazer experiências, de viajar sozinha para um sítio desconhecido...

— Dizes que não o gramas.

— Nunca disse isso. Que estou cansada, isso é outra coisa. Acho mesmo que sim, que ainda o gramo.

— Nunca hei de entender as mulheres.

— Porque, no teu machismo, não fazes nenhum esforço para te colocares na situação duma mulher.

Ela virou-se para ele e continuou:

— E sobretudo, depois teria de lhe dizer tudo. Como vai reagir? Não tenho coragem.

Juca levantou. Meteu-se também na água, creio que nem reparou que molhava as calças. Abraçou-a.

— Não precisas de lhe dizer. Ele não sentirá nada, se fores natural, se não te modificares.

— É o meu dever.

— Por que juraram ao padre?

— Não casamos pela igreja. É o meu dever, porque ele faria o mesmo. Não falaste há pouco de igualdade?

— És parva.

— Sou mesmo. Mas sou assim.

Ele fê-la rodar e beijou-a.

— Faz só um pequeno esforço de aceitar — sussurrou Juca. — Deixa o corpo fazer o que quer.

Ela deixou-se beijar. As mãos vaguearam nas costas dela, foram descendo, descendo. Ela não descolava os lábios. Depois soltou-se.

— Desejo-te, Juca, não há dúvida. Mas ainda não estou preparada, tenta compreender.

— Não tento compreender nada.

Puxou-a para fora da água, os corpos colados. Depois fê-la de novo cair na areia. Com vigor. Dominou-a, impediu que se afastasse. E os corpos rebolaram. O vestido cedeu às mãos dele, as mãos entraram no corpo. A mulher deixou de lutar. Ele agiu rápido, com violência, e ficaram os dois nus.

Empoleirado na árvore, guardei no subconsciente a imagem da toninha que vagueava por mares distantes, todo eu era olhos e ouvidos para a cena que se desenrolava quase debaixo de mim. Está bem, podem pensar o que quiserem. Mas quem podia tapar os olhos e os ouvidos numa situação daquelas, só para mais tarde não ser acusado de indiscreto? Aliás, não fui eu que procurei a cena.

Mas aí apareceu o cão pastor-alemão. Foi a primeira e única vez que o vi. Foi dessa vez que me interessei por ele e comecei a procurar o seu rasto por Luanda.

Vinha a correr pelo morro abaixo, talvez atrás de algum coelho. Estacou ao ver o casal no chão. O barulho despertou a rapariga, que fez um movimento para se libertar.

– É só um cão – disse Juca, depois do primeiro susto. – Não tem importância.

– Antes que seja tarde demais, Juca, peço-te, deixa-me.

Mas Juca não deixou. Manteve-a abraçada, chupando e mordendo o pescoço e os ombros. Só as coxas dela estavam unidas, opondo resistência. Juca procurava afastá-las com o joelho. Num rodopio do corpo em volta completa, conseguiu introduzir com brutalidade o joelho entre as pernas, afastando-as.

– O cão não diz nada – segredou ele, e continuou a forcejar.

– Não é o cão que me... – gemeu ela, mas interrompeu-se.

E deixou de opor resistência. As coxas se abriram e eram uma flor castanha irisada de sangue nos violetas da noite violadas pelo mar.

O cão ficou parado a ver. Ele e eu. Não sei se observamos a cena com os mesmos sentimentos. Mas eu sou narrador imparcial, não tenho de falar dos meus sentimentos.

Os corpos cansados afastaram-se, sem palavras. Depois voltaram a juntar-se. O ligeiro rumor da maré subindo não podia abafar o arfar dele. Se misturava ao restolhar dos caranguejos. Mas eu vi de súbito as lágrimas nos olhos dela. Brilhavam no escuro-claro do luar que nascia para lá do morro. Os olhos estavam abertos, fixos em cima, na minha direção, e as lágrimas corriam. Ela não participava no amor. Não tinha participado no amor. Depois empurrou-o. E soluçou, sentando.

– Que é isso? Não gostaste?
– Não.
– Foi do medo, da situação. Da próxima vez utilizarei outras técnicas, aqui não deu. Vais ver que da próxima vez...
– Nunca haverá próxima vez.

O cão pastor-alemão deu um salto e ladrou. Correu para o caminho. De cima, vi o cão investindo para dois homens que se aproximavam e iam fatalmente passar por ali. O casal levantou e tentou se esconder atrás da árvore onde eu estava empoleirado. Gesto inútil, pensei eu. O carro e sobretudo as roupas espalhadas pela areia indicavam a presença.

– Xê! Cuidado! – gritou um dos homens.
– Para, cão, sacana! Qué que te fiz? – disse o outro.

O pastor-alemão não mordeu. Ficou só postado no meio do caminho, ladrando, impedindo a passagem. Os dois homens foram recuando, aos resmungos e muxoxos, e se meteram pelo caminho que ia dar à estrada asfaltada.

– Vês? – disse Juca. – Esse cão salvou-nos de sermos apanhados em flagrante. Quer continuar a apreciar o espetáculo.
– Não vai haver mais espetáculo.

Vestiu-se lentamente. O rapaz fez um gesto para ela, mas conteve-se. Também se vestiu. O cão aproximou deles. A mulher fez-lhe uma carícia e o cão lambeu as lágrimas que estavam nas mãos dela.

– Sabes, Juca? Vou contar tudo ao meu marido. Hoje mesmo.
– Não sejas parva.
– Posso ser parva, mas sou leal.
– Lá porque hoje não gostaste, isso não quer dizer nada. Fala-te

quem tem certa experiência. Os nervos estragam sempre tudo da primeira vez.

A rapariga ajoelhou e beijou o cão. O pastor-alemão abanava a cauda.

– A tua experiência só dá para isto, Juca. Fica com ela. Para mim foi bem amarga.

– Se dizes, ele vai obrigar-te a contar tudo.

– Não vai obrigar. Eu é que vou contar tudo.

– Mas terás de dizer com quem sucedeu...

– Claro!

Ele segurou-lhe o braço com brutalidade.

– Não me desgraces.

– O mais difícil é contar-lhe. Não é pronunciar o teu nome: isso é o mais fácil.

– Tás louca!

– Claro que ele vai ficar furioso, não te tem em grande conta. Mais uma vez tinha razão.

– Qué que estás praí a dizer?

– Descobri que gosto dele. E senti-me tão mesquinha, tão mesquinha... As vossas teorias não valem nada, não valem nada. Talvez que se ele não me procura, a culpa é minha e não dele. Não crio as condições. Mantenho-me na rotina, não me renovo nem a nossa vida. Foi isso que descobri. Claro que não entendes, para ti mulher é apenas buraco. Talvez ele me perdoe, talvez isto não tenha importância.

– Está tudo muito certo, mas vais me desgraçar. Esse carro nem é meu, foi emprestado de propósito. A minha situação é má, não te escondi. Se o teu marido sabe, vai perseguir-me. Basta falar com os meus chefes e estou liquidado.

– Não faz nada disso.

– Tens de pensar em mim.

– E tu, Juca, pensaste em mim?

Ela fez um último afago ao cão e entrou no carro. Juca seguiu-a, resmungando até molhei as calças. E arrancaram.

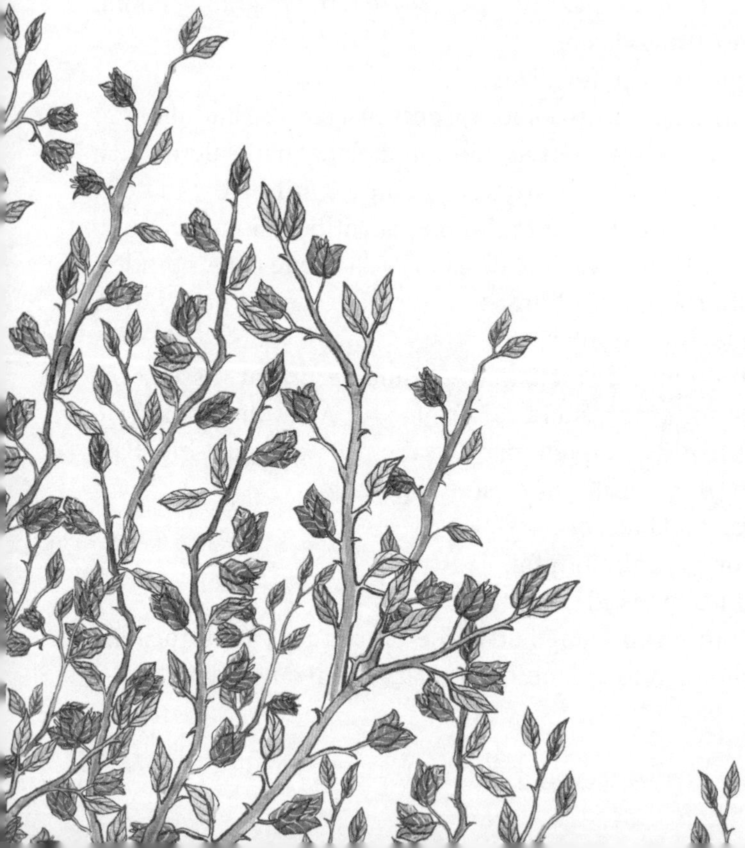

A buganvília 4

Ontem chegaram os dois tratores prometidos. Foi a festa na quinta. O pai vinha à frente do cortejo na carrinha, a mostrar o caminho, e os dois tratores vinham atrás. Saímos todos a recebê-los no portão gradeado.

Foram emprestados pelo diretor dum organismo estatal qualquer, não liguei quando o pai explicou à mãe. Parece que não é coisa legal, por isso o pai pediu silêncio absoluto sobre o assunto. Vão abrir o terreno para aumentar a horta. A mãe diz que a horta assim vai dar muito dinheiro.

Vai ser preciso arranjar mais trabalhadores bailundos. O Antônio vai à terra para convencer alguns parentes a vir. Antes fazem outra cubata para os novos. A quinta está a aumentar, qualquer dia é um verdadeiro kimbo. Trarão também as mulheres e os filhos? O pai não quer. Seria mais animado se as famílias viessem. E não criavam problemas nem faziam confusão, porque moravam longe de nós. Certamente o Antônio e os outros gostariam de viver com as famílias. Não sei por que o pai não quer.

Os trabalhadores à noite cantam as suas cantigas tristes. Agora estão a cantar. Ouvem-se ao longe, trazidas pelo vento. Pela tristeza, as cantigas devem falar da terra longe e das famílias ausentes. Do contrato, dos deportados para S. Tomé. Um kissanje acompanha as canções. Da janela vejo o Lucapa no alpendre. Não está a dormir, a cabeça virada para o sítio da cubata bailunda. Ele também gosta.

Vou dormir. Embalada pelas canções que falam nas bandeiras de milho no Planalto – imagino, pois não percebo as palavras do umbundo.

O Lucapa consegue dormir no alpendre, com a buganvília a crescer ao lado?

O elogio da ignorância

APRESENTADOR – Erasmo escreveu a peça *Elogio da Loucura*. Vocês não viram, nem eu. Aliás, não interessa. Parece que Erasmo era contra a Santa Inquisição naqueles anos lá da Europa. A peça em que vão atuar chama-se *O Elogio da Ignorância*. Qualquer semelhança de ideia, conotada ou denotada, com Erasmo é pura maledicência e vontade de queimar os autores-atores, isto é, vocês. Para os atores que nunca tenham comparecido antes, devo dizer que esta peça não tem texto escrito. Como seria possível se o cão não sabe ler? E o cão reage de maneira imprevisível, por isso cada representação é sempre diferente da anterior. Ainda não aconteceu ele morder alguém. Seria interessante improvisar um final com um dos atores agarrado a uma canela. Final sangrento!

1º ATOR – Espera aí, espera aí. Entra um cão?

2º ATOR – Entra quando aparece. Já tem faltado.

3º ATOR – Sempre por razões justificadas, é preciso desde já dizer.

APRESENTADOR – Eu não tinha terminado. Geralmente o cão vem. Não é ensinado, não foi domado, acho que não tem dono. Por isso nunca lhe ensinamos o que devia fazer nesta peça, pois também não saberíamos muito bem o que lhe ensinar. Ele aparece quando entende e faz o que entende. Nós devemos dar continuidade ao que ele fez.

1º ATOR – Já percebi. Teatro espontâneo. Cada um diz o que quer, faz um papel que desejaria algum dia ter interpretado e nunca um diretor lhe consentiu... Mas de forma a que se enquadre no espírito da peça. Não é isso?

APRESENTADOR – O 1º ator está a estragar o enredo. Está a querer encarnar um personagem romântico, quando afinal não possui as qualificações necessárias.

1º ATOR – Como sabe?
2º ATOR – Ora, cheira-se. Basta ver a sua maneira de sentar.
1º ATOR – Estou sentado?
2º ATOR – Está a representar que está de pé, por isso está sentado. Ou deitado. Ou não está a representar?
1º ATOR – É. Não tinha pensado nisso. Mas quando começa a peça?
APRESENTADOR – Desgraçado! Já começou. Quando eu falei pela primeira vez.
1º ATOR – E não avisam? Nem me vesti nem pintei para a ocasião.
APRESENTADOR – Bem lhe digo que está a escolher o personagem errado.
3º ATOR – Espera aí, espera aí. Há qualquer coisa que não está bem. Nunca falhei a uma representação anterior e por isso noto a diferença. O Apresentador hoje está participante demais. Antes limitava-se a apresentar a peça e por isso era o Apresentador. Hoje está a tomar o lugar do Diretor, lugar esse que não existe nesta peça...
4º ATOR – É o coletivo que dirige a peça. Não há Diretor individual. O Apresentador devia saber até onde pode ir.
APRESENTADOR – Posso explicar-me? Deixam ao menos explicar-me?
1º ATOR – Curioso! Parece que está a ser impedido de se explicar.
APRESENTADOR – E estou mesmo a ser impedido de me explicar. Não sentem?
2º ATOR – Impedido por quem?
APRESENTADOR – Por vocês todos.
1º ATOR – Curioso! E eu a pensar que era eu que estava a ser julgado...
2º ATOR – Julgado? Mas isto é um julgamento?
1º ATOR (*apontando para o Apresentador*) – Não foi ele que disse que era um julgamento? Não falou em inquisição?

APRESENTADOR – Não misture as coisas.

5º ATOR – Sinceramente! Eu não queria intervir no prólogo. Estava a reservar-me para quando chegasse o cão. Represento sempre o personagem amigo do cão. E nem sei representar outro personagem. Porque gosto muito de cães. Sinceramente!

2º ATOR – Então por que falou?

5º ATOR – Porque me apeteceu. Sinceramente!

2º ATOR – Mas o cão ainda não chegou...

5º ATOR – Claro, por isso sinto que estou a infringir a lei. Sinceramente! Deu-me vontade de infringir a lei, já que falaram de julgamento.

APRESENTADOR – Não há julgamento nenhum.

1º ATOR – Há, foi você mesmo que falou no princípio.

5º ATOR (*apontando para o 1º Ator*) – Ele tem razão. Era isso que eu queria dizer. Sinceramente! O Apresentador hoje deu uma de original e falou de inquisição. Todos ouvimos. Trata-se de fato de um julgamento, o que torna as coisas muito mais interessantes. Sinceramente!

2º ATOR – E quem está então a ser julgado?

3º ATOR (*apontando para o Apresentador*) – Ele, é evidente.

APRESENTADOR – Bem senti que a vinda hoje do 1º Ator era uma maquinação diabólica. Não vos dizia que não me deixavam explicar?

4º ATOR – Não tem nada que se explicar. O réu não se explica, defende-se. Quando lhe dão esse direito.

1º ATOR – Curioso! Já me sinto muito mais à vontade. No princípio tinha medo que fosse eu o réu. (*Virando-se para o Apresentador*): Réu, levante-se!

APRESENTADOR – Não há cadeiras para me levantar. E não aceito ser réu.

3º ATOR – Está a agravar a sua situação.

4º ATOR – Desde o princípio que está armado em original. A desprezar o coletivo, a querer individualizar-se.

APRESENTADOR (*pondo-se em sentido*) – É essa a acusação?

1º ATOR – Pode ser essa ou qualquer outra. Logo que não seja eu o réu...

2º ATOR – Sejamos objetivos. Não se acusa sem culpa formada. Aliás, creio que nos estamos mesmo a enganar de réu.

1º ATOR – Lá vem este a estragar tudo. Não há julgamento sem réu. E se isto é um julgamento...

4º ATOR – O coletivo acusa o Apresentador com todas as provas. Desviou o rumo da peça pela sua introdução individualista. Intelectualista! Isso é contrário à nossa linha.

2º ATOR – Protesto. Não há texto escrito. O Apresentador podia começar como bem quisesse e a nós lhe dar sequência.

1º ATOR – É o que estamos a fazer.

5º ATOR – O 1º tem toda a razão. Sinceramente! Estamos a seguir a linha do Apresentador. Assim, não nos podem acusar de nada.

APRESENTADOR – E quem vos está a acusar? Que eu saiba, o único acusado sou eu. E inocente, ainda por cima.

4º ATOR – O réu não reconhece a sua culpa?

APRESENTADOR – Claro que não.

4º ATOR – Não fez uma apresentação original?

APRESENTADOR – É crime fazer uma apresentação original?

3º ATOR – Já confessou o crime.

1º ATOR – Finalmente! Agora já não há perigo de mudarem de réu. E há mais. Acusou-me de escolher um personagem para o qual não estava habilitado. Injustamente.

4º ATOR – É verdade, é. O réu quis substituir-se ao coletivo no julgamento sobre as capacidades dum ator-autor.

3º ATOR – Julga-se muito culto, com certeza. Muito conhecedor das coisas.

4º ATOR – Aliás, logo de início o 3º notou que o Apresentador queria tomar o lugar de Diretor.

3º ATOR – Notei e afirmei. A atitude do réu agora confirma. Sempre fui muito observador. Quando era miúdo, estava sempre observar os coelhos em cima das coelhas. São bem rápidos a fazer aquilo.

1º ATOR (*declamando*) – Sinto-me lesado, sinto-me lesado na minha integridade. Fui caluniado pelo réu, exijo justiça. Justiça!

3º ATOR – Justiça será feita.

6º ATOR – Já que o 5º há bocado falou antes do tempo, não sei porque não vou falar também. O meu papel tem sido o de inimigo do cão. Só sei ser inimigo. Por isso exijo a pena máxima para esse homem que acha que é culto.

APRESENTADOR – Culto, eu?

6º ATOR – Citou Erasmo, de que nunca ouvimos falar.

3º ATOR – Falou em habilitações, ou não falou? Quem precisa de habilitações? Somos o que somos por mérito próprio. De estar presentes no momento certo. Os que não estavam lerparam. Para quê habilitações?

4º ATOR – Só o coletivo tem habilitações. Não há habilitações fora do coletivo que nós somos. Também estou de acordo com a pena máxima.

2º ATOR – Deixem-no ao menos justificar-se antes de o condenarem.

1º ATOR – Teve muito tempo para se justificar. Disse que eu estava a querer encarnar um personagem romântico, que ofensa! Exijo justiça.

APRESENTADOR – Não é ofensa nenhuma. Ou não há personagens românticos? São geralmente os mais dignos.

6º ATOR – Lá vem ele ostentar a sua sabedoria. Não sabe que isso é um vício?

2º ATOR – Parece ser inútil fazer-vos entender as coisas. Já têm o juízo feito.

5º ATOR – Eu sou o amigo do cão. Sinceramente! Eu sou o amigo do cão. E o cão não vem. Que faço eu então?

2º ATOR – Fica calado.

4º ATOR – Parece que não é só o Apresentador que está a ser original. O 2º também tem o vício do intelectualismo.

2º ATOR – Essa é boa! Eu, que nem sei ler...

4º ATOR – Nenhum de nós sabe, nem queremos. Exceto...

claro, como vocês já adivinharam, o Apresentador. Esse sabe ler, andou na escola.

APRESENTADOR – Também é crime?

3º ATOR – O principal.

4º ATOR – Essa fuga constante ao coletivo... Essa originalidade de ir à escola... De ter um paizinho que pagou os estudos...

APRESENTADOR – Afinal é essa a verdadeira acusação!

6º ATOR – Haveríamos de lá chegar. E não quero guardar trunfos para o futuro, mas quero recordar-vos que fui o primeiro a trazer para a discussão essa maka de ser culto. É sempre bom marcar bem as coisas para mais tarde não esquecerem o meu papel preponderante em todo este caso.

4º ATOR – Está bem identificado o inimigo de classe. Esses que andaram na escola.

6º ATOR – Pior. No liceu... fez o quinto ano do liceu.

1º ATOR – Que horror! O quinto ano?

5º ATOR – Sinceramente!

3º ATOR – Um dia gabou-se disso.

APRESENTADOR – Disse-o porque me perguntaram. Disse sem me gabar. Essa acusação é falsa.

3º ATOR – Como ousa dizer que um juiz fala falsidades? Isso é ilegal. Está a agravar a sua situação.

1º ATOR – O 6º e o 4º já se pronunciaram pela pena máxima. Eu também exijo justiça. Só a pena máxima pode ser pronunciada por este tribunal coletivo.

2º ATOR – Um momento, um momento. Deixem-no explicar por que foi à escola. Foi ele que escolheu?

3º ATOR – *Está a influenciar a resposta do réu.*

1º, 4º e 6º ATORES – A pena máxima, a pena máxima!

APRESENTADOR (*apertando as mãos*) – Deixem-me explicar. Foi o meu pai que me pôs lá.

2º ATOR – Eu sabia.

APRESENTADOR – Era obrigado a estudar. Não é culpa minha.

3º ATOR – Já ouvimos o bastante. Porque andou na escola,

pensava que já podia ser Diretor da peça.

4º ATOR – Como se um coletivo de ignorantes não fosse capaz de encenar esta peça sobre a ignorância...

3º ATOR – Também sou pela pena máxima.

APRESENTADOR (*quase chorando*) – Mas eu não aprendi nada na escola. Ou antes, já esqueci tudo.

6º ATOR – Os vícios nunca se esquecem.

APRESENTADOR – Juro-vos que esqueci. Com o vosso benéfico contato permanente...

2º ATOR – Ele tem razão. Esqueceu tudo com o nosso contato permanente.

4º ATOR (*apontando um dedo acusador para o 2º*) – Queres fazer-nos passar por burros? Não fomos à escola, mas burros não somos.

1º ATOR – Vamos acabar com isto antes que se lembrem de mudar de réu. Falta o 5º pronunciar-se.

5º ATOR – Só quando vier o cão, sinceramente, só quando vier o cão. Não quero infringir mais uma vez a lei coletiva.

4º ATOR – Ele tem razão, o coletivo acima de tudo. Nada de individualismos. E o cão não tarda.

CÃO (*de fora da cena*) – Ão, ão, ão.

5º ATOR – Já chegou, já chegou. O meu amigo já chegou. Sinceramente!

3º ATOR – Chama-o então, 5º. Que entre depressa. Temos de acabar o julgamento para executar rápido o réu.

5º ATOR (*para fora da cena*) – Pastor-alemão, pastor-alemão! (*Assobia a chamar.*)

CÃO (*sempre fora da cena*) – Ão, ão, ão.

6º ATOR – Que se passa com esse meu inimigo? Não quer entrar? Não costuma ser assim tão lento.

4º ATOR – Vai entrar. Ele não foge ao coletivo, é um cão muito inteligente e disciplinado. Compreende melhor que o Apresentador o peso do coletivo.

APRESENTADOR – Há um mal-entendido. Eu não sou culto.

Querem provas? Sei que dois mais dois não são quatro.

3º ATOR – Isso não prova nada. Eu sei que dois mais dois são quatro, pois é a conta que mando por semana com os camiões para a candonga. Quatro camiões carregados. Dois de tecidos desviados e dois de comida. E nunca estive na escola.

4º ATOR – O réu é um ingênuo. A pensar que somos burros. Se sabes que dois mais dois não são quatro, é porque sabes alguma coisa. Estás na mesma condenado.

1º ATOR – Decide-te, 5º, estamos a perder tempo.

5º ATOR – E o cão?

6º ATOR (*indo até à boca da cena e olhando para fora*) – Parece que foi embora. Hoje não vou poder chateá-lo.

4º ATOR – Ora esta!

5º ATOR – Deve ter cheirado alguma cadela. Sinceramente!

3º ATOR – Não. Ele nunca falta aos seus compromissos por causa duma cadela. O trabalho primeiro.

2º ATOR (*olhando também para fora*) – Foi embora, sim. Não quer ser cúmplice desta injustiça.

5º ATOR – Mas eu sou amigo do cão. Sinceramente! Por que ele não é meu amigo?

4º ATOR – Foi embora, não faz mal. Pronuncia-te pela pena máxima, 5º. O coletivo autoriza-te a pronunciar-te pela pena máxima.

5º ATOR – Sendo assim, pronuncio-me pela pena máxima. Sinceramente! Gosto de estar sempre dentro da lei.

1º ATOR – Só falta o 2º, mas esse também é original. Não me admira que tenha uma posição duvidosa.

2º ATOR – O Apresentador está inocente.

4º ATOR – Era de prever que ia dizer isso. Não tem importância. É uma minoria insignificante e intelectualista. A condenação foi votada por unanimidade.

2º ATOR – Protesto.

4º ATOR – Não aceita a posição do coletivo?

APRESENTADOR – Da maioria, não do coletivo.

6º ATOR – O condenado não se pode pronunciar. Era bem

bom que o réu tivesse direito a voto!

4º ATOR – Maioria ou unanimidade é a mesma coisa.

2º ATOR – Voto vencido.

3º ATOR – Para depois dizer que não houve unanimidade e por isso não há coletivo? É isso que o 2º quer? Desmoralizar o coletivo? Parece que temos de fazer outro julgamento.

1º ATOR (*ansioso*) – Com outro réu?

4º ATOR – Depende da atitude do 2º. Não te assustes, 1º, tu és dos nossos. Mostraste logo no início, por isso foste atacado pelo Apresentador.

1º ATOR – Curioso! Já estou mais aliviado.

2º ATOR (*prostrando-se*) – Inclino-me à vontade do coletivo.

APRESENTADOR – Não!

TODOS (*em coro*) – O réu é condenado à pena máxima. Paga uma grade de cerveja.

APRESENTADOR (*arrastado para fora pelos outros*) – Não, não. A culpa foi do meu pai.

(*Cai o pano. Esburacado.*)

O cão escapa de aparecer no jornal

Em artigo de primeira página, ilustrado com duas fotografias, o *Jornal de Angola* informava:

"Ontem, pelas 17 horas, reinava enorme animação na Feira Popular de Luanda, pois as festividades eram destinadas aos pioneiros, por ocasião do Dia Mundial da Criança. Milhares e milhares de crianças da capital tiveram entrada gratuita e divertiam-se, quer com os carrosséis, balanços, concursos de natação e polo aquático, torneios de xadrez, tômbola, quer com brincadeiras improvisadas. Várias orquestras atuavam simultaneamente em sítios diferentes da Feira para dar maior calor e ritmo ao local. Era uma verdadeira festa para os mais novos que se manifestavam ruidosamente, como só eles o sabem fazer, marcando o fim próximo do ano escolar, regozijando ainda mais os que tiveram aproveitamento, compensando em parte a tristeza dos muitos – infelizmente – que já não têm hipótese.

Foi por essa altura que, junto do carrossel, onde se concentravam centenas de crianças, um cão furou o cordão de pioneiros à espera da sua vez e, em ladrar desesperado, atraiu a atenção sobre si. O cão era da conhecida raça pastor-alemão, também chamado cão-polícia. E mostrou bem ser justificado o nome da raça. Alguns populares mais velhos até o quiseram afastar com pontapés. Mas o animal insistia. Ladrava freneticamente para um embrulho que se encontrava no chão, ao lado do sistema elétrico do carrossel. Tal foi a confusão e a insistência, que apareceu o serviço-de-ordem. Um policial avançou para o objeto misterioso e o cão calou-se logo.

Desembrulhado o pacote, ficou a descoberto uma bomba-relógio de fabrico caseiro, mas com peças de origem sul-africana, como se provou mais tarde. Camaradas das Fapla, chamados de urgência ao local, desmontaram prontamente o engenho, impedindo-o assim de cumprir a sua macabra missão.

Com o pânico criado pela descoberta e dada a confusão gerada, as autoridades fizeram evacuar a Feira, para procurar outras possíveis bombas. Nada mais se encontrou. Na precipitação da fuga, ninguém se pôde aperceber para onde tinha ido o cão, desaparecendo assim sem deixar rasto.

Mais uma vez a reação criminosa tentou ceifar vidas inocentes, num claro testemunho da sua barbaridade e do seu desespero pelo avanço imparável da nossa Revolução Popular. Ninguém ignorava que a festa era destinada às crianças e o gesto maquiavélico visava unicamente os nossos filhos inocentes.

As centenas de pioneiros que poderiam ter sido vítimas dos assassinos e foram salvas pelo instinto maravilhoso desse cão aproveitam esta página para comovidamente agradecerem ao seu protetor anônimo, que mostrou ser mais humano que os autores do gorado atentado.

Ao lado, os camaradas das Fapla já com a bomba desmontada e uma fotografia dum cão pastor-alemão, que poderia ser a do herói do dia se o fotógrafo estivesse lá."

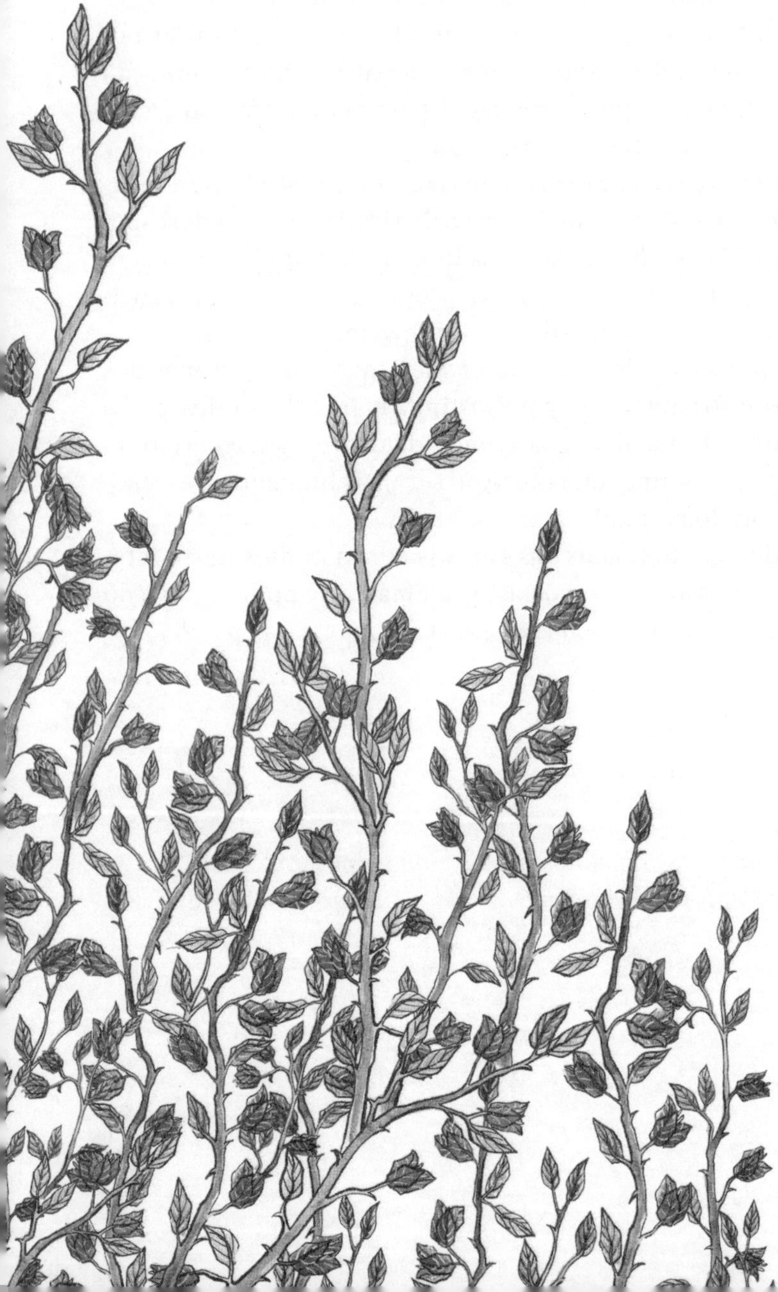

A buganvília 5

As férias estão quase a acabar. Li tantos livros e tenho ainda tantos para ler... Em breve iremos voltar a viver em Luanda. O pai diz que agora não pode abandonar a quinta, por isso dormirá uma noite em Luanda e uma noite aqui. A mãe vai ficar comigo e com o Xico em Luanda. Acabam-se também as férias dela, volta para a kitanda.

O Lucapa vai conosco, claro. É cão de cidade. Mas ele gosta da quinta. Corre atrás dos patos, das galinhas, dos cabritos. Sem fazer mal. Corre só a brincar. E agora está mais feliz, pois há cada vez mais bichos, com a nova chocadeira que o pai comprou.

Parece que vão começar a construir novos galinheiros. Ouvi o pai falar nisso e a mãe disse que se podia, desde que o negócio da camioneta estivesse resolvido. Porque é precisa uma camioneta para trazer as coisas e as rações para as galinhas e para depois levar os produtos da quinta para o mercado. Vai ser um grande negócio, diz o pai. Se não estragarem o esquema da camioneta. Dinheiro há, a mãe estes anos ganhou muito dinheiro na kitanda. Mas é difícil encontrar camionetas para comprar. Parece que vai ser dada como morta irrecuperável num serviço do Estado e depois vendem ao pai as peças soltas e a carroçaria. Ele arranja um mecânico que repõe as peças todas juntas e aí está a camioneta. Mas não se deve falar nisso, senão descobrem o esquema e o amigo do pai que trabalha no tal serviço e vai dar a camioneta como morta pode ainda ir parar à cadeia.

A buganvília continua a crescer, para desespero do Lucapa. Ele já desistiu de lutar: olha só para ela como se fosse um fantasma.

Ciúme 1

Camarada escritor:

Tinha-lhe prometido contar e você gravar. Mas depois achei que ia ter muita vergonha de falar à sua frente e também me faz impressão o microfone. Preferi pois escrever esta carta. Até porque é mais feminino. Não sei quem foi que disse que as mulheres têm mais tendência a escrever cartas que os homens. Será verdade? Não interessa.

O meu marido trouxe um dia o cão para casa. Tinha-o encontrado na Mutamba e o bicho não parou mais de o seguir. Estávamos casados há dois anos e não tínhamos filhos. Oh, já sei que perguntará por quê. Achamos que ainda era cedo, devíamos ficar um certo tempo sozinhos, e depois, a vida estava tão cara! Só o enxoval para o bebê seria um problema. Não tínhamos ninguém no estrangeiro para nos enviar as coisas e bem sabe que o mercado nacional não tinha nada. E eu trabalhava, não podia passar dias inteiros em bichas.

Quando o pastor-alemão veio, não tínhamos pois filhos. Devo confessar que não me agradou nada a ideia de o ter em casa. Primeiro, a comida; depois vinha perturbar, mudar os hábitos; e um pressentimento fúnebre, desses pressentimentos femininos. Mas o meu marido sempre gostou de cães e estava tão contente com ele... Acedi. E quanto à comida, lá podíamos arranjar-nos, pois o Arnaldo era diretor duma empresa estatal. Sempre havia os esquemas para um diretor! Enfim, o cão ficou conosco.

Íamos à tardinha passear no carro, dar a volta à ilha do Cabo para apanhar fresco. Ele também ia. No banco de trás. Por vontade do Arnaldo, ia no colo dele. Mas isso nunca deixei. Por vontade do Arnaldo, até talvez dormisse na nossa cama! Nunca compreendi nem aceitei aquele amor pelos cães. De dia ficava em casa, não fazia confusão. Só quando o meu marido chegava. De guarda não tinha nada, nunca ladrou a nenhum estranho, se houvesse ladrões de certeza que os deixaria roubar tudo. Era um cão pacífico, lá isso era!

Mas começou a irritar-me, pois o Arnaldo, mal chegava a casa, perguntava logo por ele. Quase nem me cumprimentava e ia imediatamente fazer festas ao bicho. E ficava horas a brincar com ele. Eu que me amolasse na cozinha, sem ninguém com quem conversar.

– Já vi que preferes o cão – disse-lhe eu um dia. – Devias ter casado com ele.

O Arnaldo não ligou nenhuma. Disse-me que nunca tinha visto mulher com ciúmes de cão. Riu-se e não quis falar mais nisso. Mas eu respondi-lhe que não tinha nada ciúmes, achava só ridículos e anormais aqueles amores. E a situação não melhorou. Tinha até tendência para piorar.

E quer saber a melhor? À medida que o tempo passava, o cão parecia perceber a situação. É o que lhe digo, não é obrigado a acreditar, claro! Quase fugia de mim, só estava alegre se o Arnaldo aparecia. E eu nunca lhe bati, só aqueles ralhos normais uma ou outra vez. Mas ele evitava-me. Mesmo no carro, punha-se no banco de trás, mas do lado do meu marido. Se botava a cabeça de fora, para apanhar o vento no focinho como os cães gostam de fazer, era na janela do lado do dono. Claro que aproveitava para lhe lamber uma orelha e o Arnaldo ria.

Imagine! E se calhava eu também beijar-lhe uma orelha, enfim... compreende... na cama? Comecei a imaginar que beijava a orelha que o cão antes tinha lambido. Comecei então a ter repugnância de beijar o meu marido, sobretudo nas orelhas!

Já era demais! Até na nossa vida íntima o cão já se metia. Não tive coragem de dizer ao Arnaldo, mas comecei a evitá-lo na cama. É sempre fácil arranjar-se desculpas, não é? E talvez porque andava tão feliz com o cão, o Arnaldo não reparava que espaçávamos as relações. Acho que não reparou, ou então reparou e não se importou, o que era grave. Essa ideia mais me irritou. Se ele não se importava, é porque não se interessava por mim. Penso que estava a transferir todo o interesse para o cão. Fiquei raivosa, como bem pode imaginar.

Até que, já não podendo mais com aquela vida, resolvi ter uma conversa a sério com ele. Vou tentar reproduzi-la em forma de diálogo, como fazem os escritores, embora saiba que saio do estilo epistolar. Mas o estilo não tem muita importância, pois não? Se achar que tem, pode devolver-me esta carta com as observações, que eu corrijo para o discurso indireto. Estudei no Magistério Primário, tenho obrigação de saber fazer isso.

– Olha, já é altura de falarmos duma vez por todas – comecei eu.

– Mas não estás a ver que és ridícula? Porque realmente tens mesmo ciúmes do cão. Chama-lhe o que quiseres, arranja todas as desculpas...

– Ridículo és tu mais o teu cão!

– Isso são ciúmes e pronto. Não faltava mais nada!

– Já nem tenho vontade de fazer amor contigo...

– Imaginas que quando faço amor contigo penso que estou a fazer com o cão? – perguntou o Arnaldo, pela primeira vez realmente preocupado. – Afinal achas isso?

– Não, não. Mas começo a ter repugnância de o fazer contigo. Eu é que imagino... Quer dizer, imagino que a tua cara foi toda lambuzada por ele, as mãos também... Mete-me nojo!

– Mas eu lavo-me sempre que brinco com ele. É verdade que às vezes consegue lamber-me, o que é raro, mas eu lavo-me.

– O cheiro fica.

– O cheiro fica? Não sejas parva!

– Eu sinto-o.

– Ora, os teus ciúmes estão a criar-te faro de cão.

– Arnaldo, não estejas a gozar. Falo a sério.

O pastor-alemão assistia à cena, deitado na alcatifa da sala.

Eu bem tinha protestado, lutado, mas o Arnaldo deixava-o sempre ficar ali. Um cão na alcatifa da sala! Pulgas não tinha, o meu marido dava-lhe banho e punha-lhe pós inseticidas. Mas mesmo assim! Como, entretanto, eu tinha elevado a voz, o cão levantou a cabeça para nos observar.

– Ainda por cima parece que percebe as nossas conversas e deve gozar lá para ele. Claro que só pode passar para o teu lado.

– Não sejas parva! Ele não percebe nada. Mas deve sentir uma hostilidade qualquer e fica alerta. Os cães têm grande sensibilidade.

– É! São mais inteligentes que os homens! – disse eu, irônica.

– Não disse isso. Só que se apercebem, assim como algumas pessoas mais sensíveis, quando há tensões no ar.

– Sabes muito de cães. Nada de mulheres... E agora está a aperceber-se?

– Evidente! Não vês que nos olha, a um e ao outro? Sabe que há qualquer coisa e está inquieto.

– Tem razão para isso. Aqui estamos a decidir o destino dele.

– Que queres dizer? – perguntou o meu marido.

– Que hoje, agora mesmo, vamos tomar uma decisão. Melhor, tu vais tomar uma decisão, Arnaldo. Ou ele ou eu. Um dos dois vai sair hoje, agora mesmo, desta casa.

– Estás louca?

O grito do Arnaldo foi tão forte que o cão saiu da sala, foi para a varanda. Parece mentira, mas é verdade. Não é que o pastor-alemão começou a uivar? A uivar, como os lobos ou como os cães quando alguém morre. O Arnaldo ficou transtornado com o choro do cão.

– Ele percebeu o que tu disseste. Ele percebeu.

– Arnaldo, ainda agora dizias que ele não percebia nada...

– Sei, sei, mas já estou duvidoso. Põe-me doente ouvi-lo uivar assim. Ele está a sofrer!

– Cão não sofre. Quem sofre sou eu. Deixaste de ser meu marido. Agora és marido do cão. Se ainda fosse uma cadela...

— Queres humilhar-me, ofender-me...
— Desculpa, não queria. Mas porque não vais ter com ele? Vai! Vai fazer-lhe festas, acariciá-lo, para ele pôr a cabeça no teu ombro e chorar. Talvez pare de uivar e nos deixe mais tranquilos. É disso que tens vontade, vai ter com ele.
— Não. Prefiro ficar ao pé de ti.
Primeira vitória daquele dia! Era preciso continuar, aproveitar a fraqueza do adversário.
— Estou a falar a sério. Tens de escolher: ou ele ou eu.
— Mas tu julgas que te vou abandonar por causa dum cão? Gosto de ti, casei contigo por isso. Tu e o cão são coisas diferentes, não ponhas nos pratos da balança. Se temos problemas na vida em comum, a causa é outra, não é o cão.
— A causa, a única causa é o cão.
— Não pode. Ou és tu que queres um pretexto para me abandonar? A propósito, esse teu antigo namorado, o Jorge, tem aparecido?
— Não te admito! Sabes tudo muito bem. Acabei com o Jorge e depois comecei a namorar-te.
— Mas ele pode voltar a ter insistido. E tu teres-te arrependido de casar comigo. Já notei que evitas qualquer conversa sobre ele.
— Porque queres arranjar-me um amante à última hora?
— Só agora o pensei. Mas é muito estranha esta situação. Estás a arranjar pretexto no cão. A causa só pode ser outra. Procuro uma...
— Não há outra causa nenhuma. É só essa, já te disse. Não estás nada a procurar outra causa. Estás masé a procurar baralhar-me, como o fazes sempre nas discussões em que não tens razão. Conheço esses teus truques de intelectual! Tens de escolher e sem subterfúgios. Ou o cão ou eu. E deixa de ofender a minha dignidade, só para te safares da escolha.
O pastor-alemão parou de uivar. Mas eu sentia-o andar dum lado para o outro, na varanda. Não tentava entrar na sala, que ninguém lhe tinha proibido. Raio de bicho, como ele percebia as coisas! Por vezes dava um ganido muito ligeiro.

— Por que ter de escolher? Quero ficar contigo, não há razão nenhuma para nos separarmos, nenhuma, nenhuma... pelo menos do meu lado. Também não percebo porque terei de me separar do cão. É meu amigo, não faz confusão em casa, é obediente, eu gosto dele. Por que colocar-me nesta situação de escolher entre...

— Tens de escolher entre dois amores. Veremos qual é o mais forte!

— Mas o cão não é amor nenhum!

— Substitui muito bem um amor perdido. Sou inflexível, tomei a decisão. Ou ele ou eu.

O Arnaldo pôs a cabeça entre as mãos. Eu tinha pena dele, sim, tinha pena. Mas às vezes é preciso ser-se cruel, pois se cedemos perdemos tudo. A minha mãe sempre insistia nisso. E eu queria o Arnaldo só para mim. Ele então disse baixinho:

— Quando um casal começa a cansar-se de o ser, tem de aparecer o terceiro elemento, ou para rebentar de vez com a ligação errada, ou para a renovar. Geralmente é um filho ou um amante... No nosso caso parece ser um cão. É ridículo! Um cão fazer estourar um casal...

— Ou a saída do terceiro elemento da vida do casal. E isso fazê-lo renovar-se. Conclui o teu pensamento, Arnaldo.

— Recuso-me a aceitar as coisas assim. Se fosses mais compreensiva, podíamos ficar os três muito bem.

— Oh, já sei. Nos primeiros dias fazias um esforço. Darias mais atenção à tua mulher, estarias menos com o cão. Mas depois tudo voltaria à antiga. Então ainda não fizeste a comida para o coitado do cão? Mas então não arranjaste carne para ele?... Nunca perguntas se arranjei carne para nós. Só perguntas para o cão. Não, voltarias à antiga. Enquanto ele estiver cá em casa, vai ser sempre assim. E eu não vou ter gosto de fazer amor contigo. Tens de decidir hoje, agora mesmo.

— Deixa-me pensar. É tudo tão de repente! Dá-me um dia para pensar. Talvez encontre outra solução, a terceira hipótese.

Sê humana, por favor...
 Ele estava tão abatido, tive tanta pena dele! Aceitei. No dia seguinte ele resolveria. Acabamos a conversa, fomos jantar.
 Depois, o cão pastor-alemão entrou na sala, foi direito ao Arnaldo, lambeu-lhe as mãos. É verdade, o cão estava triste. Foi para o quintal.
 Nunca mais o vi. Desapareceu nessa noite.
 O meu marido não precisou de escolher. Nem se lamentou. Não me culpou. Quando os amigos perguntavam pelo cão, desviava a conversa. O Arnaldo evitava sempre falar nele.
 Depois voltou a ser natural. As nossas relações melhoraram. Eu estava tão feliz! Passaram-se meses e o episódio foi esquecido. Arnaldo era o marido perfeito. Comecei a falar-lhe que devíamos fazer um filho. Eu tomava as pílulas, claro. O Arnaldo dizia que ainda era cedo para deixar de as tomar, a vida material ainda não estava normalizada. Aceitei, mas comecei a ansiar cada vez mais pelo filho. Era o que faltava no nosso lar, no nosso casamento. E – hoje penso – comecei a ser agressiva, a exigir o meu filho. As relações de novo se tornaram tensas.
 O Arnaldo partiu em missão de serviço para Benguela. Ia lá ficar quinze dias. Ao fim de quatro semanas, escreveu-me que não voltava. Ficava lá, com uma rapariga que conhecera. Pedia o divórcio. A carta explicava que já nada tinha sentido entre nós. Pediu a transferência para Benguela e nem veio a Luanda buscar as coisas. Nem sei como consentem nas empresas estas transferências assim!
 Sabe como é, foi enrabichado por uma mulata de Benguela. São todas umas cabras! Têm lá uns milongos que dão a volta à cabeça dum homem. Nunca suportei mulata de Benguela, todas que conheci são falsas e feiticeiras. E aposto, camarada escritor, estou disposta a apostar tudo, que a tal mulata gostava de cães. Ou fingia que gostava, só para atrair o meu Arnaldo.

Ciúme 2

Tempos depois conheci o ex-marido. Dei-lhe a ler a carta da ex-mulher. Sei que o gesto é feio, mas se um escritor tivesse escrúpulos, nunca poderia escrever sobre pessoas reais. O escritor deve ser cruel e desumano, é essa a sua humanidade.

Leu até ao fim com ar casmurro, deu uma gargalhada. Disse:
– Ainda bem que a larguei. Isto prova que estava completamente cacimbada. Nada disto se passou. Pelo menos assim. O cão não uivou quando discutimos. Ela é que o correu da sala com uma vassoura e ele desapareceu para sempre. Aqui deixa sugerir que a abandonei por causa dele. Nada disso. Já não a podia suportar com os pós e feitiços, milongos, que passava a vida a pôr-me embaixo do travesseiro e me faziam espirrar. Com medo que arranjasse outra mulher...

Pus as duas versões. O júri são vocês, leitores.

Carnaval com Kianda

Aqui tem de entrar novamente o autor.
Vocês são testemunhas, eu não queria aparecer mais. Os que viveram os acontecimentos é que deviam contar.
Mas o caso a seguir teve tantas interpretações, tanta gente presenciou as cenas, que deixou o anonimato pudico duma casa e passou a acontecimento nacional (então tudo que passa em Luanda não é nacional?). Os muitos possíveis contadores descrevem a seu modo, conforme a posição da sua bunda no caso. Recebi centenas de cartas a descrever uma ou outra parte, houve mesmo reportagem no jornal e entrevistas, a Rádio falou e refalou do feito, a Televisão filmou (é verdade, por uma vez não deixou escapar). Cada um com sua versão. A verdade é como um diamante, reflete a luz do Sol de mil maneiras, depende da faceta virada para nós.
Aí fiquei numa posição delicada. É mais cômodo e prudente deixar cada um contar, ele é que se torna responsável pelas suas palavras. Eu limito-me a copiar, a juntar num livro, discutir com o editor mais ganancioso as condições, arrecadar uns kwanzas. Agora não: tenho de sair da trincheira, tomar posição. Algum visado pela estória talvez me reconheça na rua e me dê uma surra. Se mobilizar os filhos e sobrinhos pode magoar. Porque já passou tanto tempo que os visados hoje são velhos. É risco a correr, pois o episódio é importante. Tem de haver uma versão: à falta de melhor, a minha. Sou democrata, aceito qualquer crítica. Mas desde já aviso qual a maka do historiador: a sua versão pode estar completamente errada, mas vai sempre influenciar no futuro qualquer análise sobre os acontecimentos que narra. Já o Heródoto o sabia ao enfiar as suas kíbuas que até hoje continuamos a engolir.

É portanto o autor que descreve. Sinto tal responsabilidade que espero seja a última vez:

O cão pastor-alemão entrou na igreja, durante a missa da manhã, seguindo devoto grupo de fiéis. Era o dia 27 de março, aquele em que as Gloriosas atiraram os karkamanos para os areais. Primeiro houve certo burburinho, gente a querer escorraçar o cão. Ele manteve-se firme no meio da igreja. Assistiu à missa (se com devoção não sei, eu não estava lá para ver e os observadores nunca reparam no mais importante, por isso não são escritores). Ouviu o padre falar, mesmo no meio do corredor central, sentado sobre o traseiro (o cão, claro!), a língua de fora a expulsar o calor. E o padre disse, na sua pregação missionária:

– Meus caríssimos irmãos, em-verdade-verdade-vos-digo, a nossa sociedade está perdida. Até já os cães entram no sagrado templo e nenhum fiel se incomoda. Nem um católico temente a Deus se mexe para o retirar. Que civilização se está a criar? Há muito havia mosquitos, baratas, ratos, lagartos, mesmo porcos, que assistiam à missa. Porque os sacristãos não estão para varrer a igreja, dizem que ganham pouco, porque os fiéis exigem dinheiro para o fazer, a vida está cara, e a rua virou jardim zoológico. Mas cão nunca. Que é que estão a fazer? Agora deixem-no ficar. Que o Demónio fique no meio dos crentes desinteressados, para ouvir o que tenho a dizer. Que os pelos do Demónio se ericem, que a sua língua deite enxofre, que a cauda fique eletrificada, tudo isso graças ao meu exorcismo. Porque-em-verdade-verdade-vos-digo, caríssimos irmãos, não tenham dúvida, é Satanás vestido com pele de cão, ele, o Demo, Belzebu, vindo aqui provocar a ira do Senhor.

Alguns ais de senhoras, resmungos incomodados de homens, olhares atrevidos de raparigas, sublinharam as palavras proféticas.

– Esse Satanás anda à solta pela cidade, vê-se nos jardins e nas esquinas, no falar das pessoas, nas medidas que se tomam. O anti-Cristo tomou Angola, nossa querida terra, e os católicos cruzam os braços. Aceitam, nem defendem os seus bispos que ousam levantar-se contra os infiéis, montados em corcéis como S. Sebastião, oferecendo o peito às flechas dos verdugos. O Apocalipse aproxima-se. O anti-Cristo está aqui. Foi o anti-Cristo que decidiu fixar a data de 27 de março para o Carnaval. É hoje o Carnaval e estamos em plena Semana Santa. Semana de luto, de recolhimento, de graça. E escolhem esse dia para o Carnaval, festa pagã, a pretexto que é o aniversário da vitória. Que vitória? Só há a vitória de Jesus Cristo sobre os pagãos. Vitória de ferro e de fogo, de terramotos e vulcões, de sangue. Escolheram esta data sabendo que, mais cedo ou mais tarde, podia coincidir com a Semana Santa. Só para ofender os sentimentos dos católicos, a absoluta maioria do Povo deste País. Maioria silenciosa, infelizmente. Humilhada, perseguida, à espera das catacumbas. Maioria que já nem vê os filhos aprenderem os Mandamentos de Deus nas escolas, tomadas hoje centros de difusão de ideias subversivas. Ris-te, Satanás maldito? Abanas a cauda perversa de gozo, Belzebu terrorista? Ah, a ira do Senhor far-se-á sentir. E tu, Satã disfarçado de cão, tu que és o anti-Cristo que governa este País, treme, porque o Senhor mandará o raio, a peste, a cólera, os leões, os gladiadores, e aniquilará a pobre minoria que te segue no Carnaval e noutras festas bárbaras.

Engasgado pela ira sagrada, o padre teve de terminar. Com ele a missa. Os fiéis saíram e o cão seguiu-os, abanando o rabo, cheirando as pernas dum e doutro.

– É – disse um dos devotos. – De fato, este ano o Carnaval calha na Semana Santa, que coisa!

– O padre estava uma fera – disse outro. – Coitado do cão... Ele é que apanhou por tudo.

– Deixa, ele não liga. Não vês vem aí todo satisfeito atrás de nós?

– O padre prometeu o Inferno a quem vá ao Carnaval. Tu vais?

– Claro, nem podia faltar. Aposto no Kabokomeu.

– Hum, o Mundo da Ilha está forte, vi alguns ensaios. Depois tenho farra até domingo.

O cão lá seguiu o grupo e foi ter à Marginal. Mas ainda era muito cedo e durante esse intervalo de tempo não apurei vestígios dele.

Só quando a avenida se animou, gente de todos os lados para dançar e aplaudir os grupos carnavalescos, a tribuna cheia de convidados, se voltou a aperceber a presença do pastor-alemão. Estava à frente da tribuna, onde os grupos se deveriam exibir perante o júri.

Se ouviram as puítas, os tambores, os apitos, as canções, e surgiu o primeiro grupo. A bem dizer, este grupo como outros que lhe seguiram não dançava. Era mistura de marcha fúnebre com ritmo de Carnaval. Havia o rei e a rainha, com coroas de latão pintado, panos preto-vermelhos e véus. As duas enfermeiras, ao lado do rei e da rainha, homens de fato escuro, óculos escuros, outros vestidos de marinheiro, de oficial administrativo colonial, crianças sem disfarces, uma dama de sombrinha e amplo vestido de várias chitas, enfim, o normal num grupo daqueles tempos.

(Aqui tenho de abrir um parêntesis. Os meus leitores devem estar admirados da pobreza dos trajes e mesmo dos instrumentos. Nada de ouros, pratas, cetins garridos, diamantes nas coroas. Nada de nudezas, antes o máximo de panos e escuros. Isso é agora, no século XXI. Naquele tempo, mesmo para se encontrar um tecido garrido era difícil. Lá se fez um esforço e importaram-se panos vermelhos e pretos, eram as cores dominantes e os importadores não estavam para se chatear com sortidos. Com as dicanzas, puítas e gomas, apitos à mistura, fazia-se o Carnaval. Fecho o parêntesis, acho que ficamos esclarecidos.)

Foi aí que o cão se meteu na dança. Talvez que o barulho das gomas entrou nele, talvez o ar fúnebre não lhe agradou, o certo é que se meteu no meio do grupo. A disciplina estudada quebrou-se, houve confusão generalizada. Os dançarinos perseguiam-no para lhe dar pontapés, as mulheres perderam o ritmo dos cantos a dizer sai, sai já, sacana, as crianças correram. O grupo perdeu-se, dispersou-se, morta a seriedade de komba, e o júri deu-lhe má nota.

Sucedeu o mesmo com o segundo, o terceiro, o quarto, o quinto... Era normal, os grupos pouco se distinguiam. Os populares riam. Só alguns bravavam:

— Mas tirem o cão daqui!
— Está a estragar tudo.
— A polícia não é capaz de fazer nada?

No meio do grupo faccioso que raivava assim, alguém disse talvez para as nuvens:

— Carnaval é alegria, é cor, é ritmo, é riso. Não é isso que têm? O cão está a pôr no Carnaval a alegria que os grupos mataram nele.

Com efeito, a maioria dos assistentes gozava as cenas, carnaval mais divertido nunca se tinha visto. Os grupos dançavam (os raros que dançavam), mostravam sua arte e depois vinha o humor, a kazukuta provocada pelo cão, uns até que caíam no asfalto a tentar lhe pontapear. Não acertavam. O povo aplaudia e o pastor-alemão parecia era uma estrela de futebol a capiar e o público a fazer viem-viem-viem. Os grupos que não dançavam, trazendo para o carnaval versos-de-palavras-de-ordem e fisionomia de komba político, esses nem tinham tempo. O cão estragava-lhes logo a disciplina e o aprumo, e o povo mais gozava.

Assim foram desfilando os grupos, perante a incapacidade do serviço-de-ordem conseguir segurar o pastor-alemão. Até porque este tinha proteções poderosas no meio dos populares que o escondiam se algum polícia aparecia.

Até que apareceu o grupo União Kianda da Corimba, pescadores, dos mais pobremente trajados, um menino à frente, descalço, a comandar, nem rei nem rainha, muito menos enfermeiras, só homens com redes, panos na cabeça e mulheres com quindas de peixe. As puítas, as dicanzas, os kissanjes, misturados aos búzios gigantes, criavam e recriavam o ritmo do mar. A canção falava da kianda, da jamanta, da calema, do oceano que é mãe, e daquela ilusão com cabelos de alga que só aparece uma vez na vida.

O menino da frente viu o cão, interrompeu o passo, fez-lhe uma festa, convidou-o para a dança. O cão deu um salto, o resto do grupo rodeou o pastor-alemão, não o enxotou, esqueceu o público, o júri, a tribuna, integrou o ser terrestre no seu meio marítimo.

E os latidos dele, ao ritmo do reco-reco, deram mais vida à música, trouxeram sons de gaivota a caçar. O grupo abria e fechava, lançando as redes, o cão dentro da roda a comandar a pescaria. Seguiu para além da tribuna e o pastor-alemão foi com ele.

A multidão, contemplando a cena e embriagando-se do cheiro da maré vazia e da sensualidade das ondas, guardou silêncio religioso, fascinado. De repente, a calema acumulada na multidão rebentou em mil vagas poderosas. Os aplausos não tinham fim, o povo abandonou as filas e foi dançando atrás do grupo, a beijar o ritmo do mar. A Marginal ficou quase vazia.

Foi assim que o União Kianda da Corimba ganhou o Carnaval daquele ano, pois o júri foi obrigado a confirmar o julgamento popular.

O inquérito feito por mim foi o mais rigoroso. Esfalfei-me a fazê-lo. E as opiniões eram as mais divergentes. O jornal da época reportava:

"[...]

No entanto, um ato que se pode apenas explicar pela negligência pequeno-burguesa da organização, veio tirar o lustre a tão importante acontecimento cultural. Um cão, ao introduzir-se no meio dos grupos carnavalescos, impediu estes de mostrarem a sua arte. E, sabe-se lá por que, não o fez com o "União Kianda da Corimba" – talvez o dono estivesse no grupo. O "União Kianda", sendo dos mais fracos, com uma canção corriqueira do dia-a-dia, foi assim o vencedor.

Outros grupos mais estruturados, mais corretamente trajados e, sobretudo, com canções de um conteúdo político, foram prejudicados.

Não se podem admitir casos destes num acontecimento tão vital para a nossa cultura, festa em que se homenageia a Vitória.

[...] Que se apurem as responsabilidades e se castiguem os negligentes. O Povo o exige! [...]"

Mas a Televisão, que não fez comentários, só apresentou as cenas, permitia tirarem-se outras ilações, por exemplo a minha. Pelo menos via-se bem que o Povo não exigiu castigo, contrariamente ao que dizia o jornal, todo ele saiu a dançar atrás do União Kianda. Aiué, onde está a objetividade informativa?

E o menino que ia à frente do grupo vencedor, interrogado pela Rádio, afirmou:

– Não, esse cão não é de ninguém, nunca o vimos. Só que nós gostamos dele, tão bonito, e dançamos com ele. Ficou contente com a nossa dança e não estragou. Culpa é dos outros que só queriam lhe bater.

Aqui termina o meu trabalho. Procurei ser imparcial, realista. Se fui faccioso a narrar, se tomei algum partido neste controverso caso, peço desculpa: também eu sonho que um dia um ser feito e espuma espalhe odor de maresia sobre todos nós.

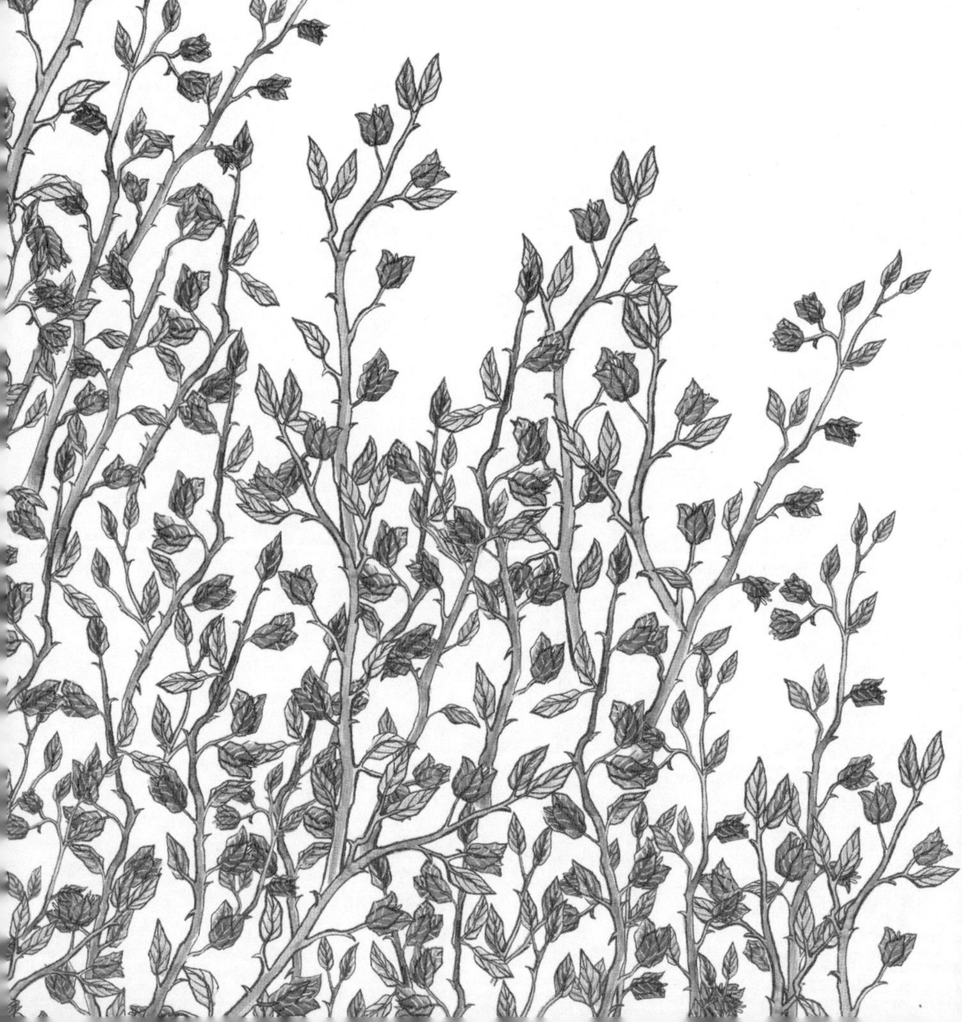

A buganvília 6

Amanhã vamos partir. Tenho muita pena, passei dois bons meses aqui. Sossegada, sem os professores a apertarem comigo. Quando me aborrecia, ia a Luanda visitar as amigas ou ao cinema. O pai diz que vamos vir sempre nos fins de semana. Já é alguma coisa.

O Antônio partiu para o sul a recrutar mais trabalhadores. Os outros três ficaram a aguentar com todo o trabalho, mas não se queixam.

A buganvília já está a florir. São flores roxas, lindas. Com o verde-escuro das folhas e o castanho dos troncos, formam um quadro sombrio ao sol. Mas o Lucapa ficou ainda mais zangado. Destruiu as flores que nasceram perto do chão. Hoje de manhã apareceu com a boca roxa, de tanta flor de buganvília mastigada.

Ele é tão inteligente, não sei por que detesta a buganvília. É certo que a trepadeira que ensombra o alpendre está a ficar sufocada, mais os seus baguinhos vermelhos. A buganvília avança e aperta-a contra os varões do alpendre. Será isso que o Lucapa adivinhou há muito?

Vou deixar-te ficar aqui, diário amigo, não vais para a casa da cidade, pois só escrevo em ti na quinta.

Lição de economia política

Como sabe, camarada escritor, sou operário na Temex. Foi aí que me encontrou, por isso sabe. Mas, afinal, o gravador já está ligado? Bom, então vou ter cuidado com o que digo pra sair bonito. Um gajo às vezes bóca à tôa e depois? Primeiro ouve-se para ver se ficou bem e só depois é que sai no livro? Fixe. Está melhor assim, meu kamba, está melhor.

Quer saber desse sacrista desse cão... Beleza, beleza de cão! Eu nunca podia ter dinheiro para ter um cão daqueles, mas que era uma beleza... E só o vi de raspão. Bem, a falar verdade, dinheiro até que se arranjava, mas dá trabalho depois ter de aumentar o esquema do talho. Vejo que não sabe como se passa, já vai aprender...

Mas diga uma coisa, camarada escritor ou jornalista ou o quê... Jornalista não é de certeza, você garantiu. Se fosse, não lhe falava, não posso com jornalistas, já vai saber porquê... Ganha quanto por mês? Depende dos livros que vende, afinal? Isso dá pra viver? As pessoas compram muito? Devem comprar, agora compra-se tudo antes e só depois é que se vê o que está sair na bicha. Disco dá, tenho um amigo cantor tem kumbu bué. Nos tempos que se fazia disco aqui. Mas livro como é? À rasca então? E não tem esquema pra carne, pro peixe, etc.? Não? Como pode então? Não sei mesmo como vive, mas o problema é seu. Mesmo com dinheiro a vida é uma puíta...

Eu cá não é de dinheiro que me governo, não. Sabe como é aí nas fábricas. Grande conquista da Revolução! O que nós produzimos, a nossa gloriosa classe operária que tenho orgulho de pertencer, o que produzimos é que nos safa. No tempo do colono não era assim, távamos mesmo lixados, era a exploração capitalista. Agora não é nada o salário, esse é melhor esquecer. Mas as latitas que cada um tem direito por dia e mais aquelas que cada um faz sair mesmo sem ter direito, essas é que dão. Vou com uma lata ao talho e troco por meio quilo de carne. Vou com uma lata à padaria e troco com o pão que quiser. Assim... Pró dinheiro, entrego umas latitas à mulher que as vai vender no bairro. No mercado agora está ficar difícil, tem fiscais. Eles têm medo, fingem não veem, mas com esses deles nunca se sabe. Um dia podem armar em vivos e dá maka. A minha barona é assanhada, nasceu mesmo pró negócio, ninguém lhe aldraba. Vende cada lata dez vezes mais caro que a fábrica vende ao Comércio Interno. E como a produção está baixa, também posso falar disso depois, o Comércio Interno quase que não leva nada da fábrica. Quase tudo é masé distribuído pelos operários. Não foi Marx que ensinou: aquilo a quem o produz? Aí ficamos com quase toda a produção, três latas por dia é legal, a direção da fábrica combinou. Mais duas ou três que passam nas camisas ou nos sacos. Como íamos viver então?

Mas o camarada quer é mesmo ouvir do cão. O sacana ia-nos estragando a vida. Também tem aí uns camaradas sem cuidado, descarados demais, depois estragam os negócios de todos quando são apanhados... Foi à saída da fábrica. Eu cá nunca aceitei que a minha dona ficasse lá fora à minha espera, mas sabe como é, tem uns que são... como se diz, muadié... apressados, esquerdistas, não querem esperar as condições objetivas. Deixam as mulheres ficar à porta da fábrica naquela hora das seis horas e entregam-lhes logo as latas e elas põem-se a vender ali ao pé da fábrica. E para fazer propaganda, mostrar que nós, operários, produzimos com qualidade (não vale a pena negar, somos a vanguarda, temos consciência de classe), bem... algumas abrem mesmo uma lata para se ver o produto. Claro que têm bom cheirinho, cheiro de comida boa para barrigas com fome. Os passantes, os monas, toda gente vem logo, o cheiro bom a entrar nos narizes deles, e compram às cotoveladas ao preço que as kitandeiras querem. É só regatear conforme a cara do freguês. Branco estrangeiro, mais caro; branco nacional, um coche mais barato; patrício, mais barato. Vão mesmo senhoras com carro do Corpo Diplomático lá comprar, parece as nossas latas não chegam na loja deles. Claro que dá confusão. Bichas, empurrões, pancadaria às vezes. Eu já tinha dito na reunião sindical que não se podia, ia dar maka um dia, melhor mesmo era pôr as kitandas mais longe da fábrica como a minha senhora faz. Mas quais quê! Moção rejeitada por maioria absoluta. É a democracia. E foi o que deu. Ou ia dando, porque por acaso ainda safamos a onça, a escapar mesmo se afogar.

Bem, eu conto, nada de pressas, sem esses antepassados da coisa você não ia perceber.

Saímos da fábrica às seis horas, bem suados, porque para produzir é preciso suar. Esses gajos burocratas é que têm ar condicionado, nós que produzimos toda riqueza temos de bumbar no calor. Mesmo nas assembleias com o Partido falamos nisso, ninguém que ligou. Também o diretor é um pequeno-burguês, no escritório tem ar condicionado, está cagando para os operários. O gajo antes, no tempo do colono, era operário. Quando os nguêtas bazaram, era o mais qualificado que ficou na fábrica. E mandava papo político, sim senhor. Criou grupo de ação do MPLA e tudo. Por isso ficou Diretor. Aí encheu de ares, até julga é engenheiro. Mas qualquer dia vai rebentar com o ar que andou engolir à nossa custa, espere só!

Todos suados, saímos nesse dia com as latitas. Juntou-se logo o povo, os carros, os vadios a querer roubar, as kitandeiras montaram banca. Dessa vez, não sei por que, não fui logo para casa. Fiquei a ver. E fiz bem. Porque tem graça, melhor que cinema. Gritos, confusão... As senhoras do Corpo Diplomático a serem empurradas, um monandengue a aproveitar avançar a mão na bunda delas, um gozo! As respostas das kitandeiras... Essas têm sempre resposta pronta na boca, nem advogado mesmo, não quer vai embora, não chateia, tem mais quem compra. É, porque tem uns vivaços querem ainda discutir os preços, parece não sabem lei da kitanda não se torce. Levam com cada resposta, perdem o ar vivaço, compram mesmo. Então não têm monas em casa a chorar de fome?

Estava eu a gozar as cenas, quando vi o cão. Sukua, beleza mesmo! Embora que magro, a fome morava com ele, se via. O cão meteu-se no meio das pessoas, aquele cheiro das latas lhe deu coragem, arrancou. De repente. Na zuna, parecia era seta. Apanhou uma lata aberta, comeu tudo ali mesmo. Não fugiu com a lata, como fazem os cabiris. Comeu ali mesmo na frente da dona da lata. Como um soba. A mulher xingou-lhe, estava sentada e a bunda era pesada, não dava pra levantar rápido, na fúria lhe lançou com uma lata fechada, não tinha pau nem pedra para atirar. Mas falhou o tiro. A lata bateu em cheio na cara da Nga Xica, uma dona que não gosta de brincadeiras. Aiué! Esta viu donde veio a lata, berrou pra outra parecia porco a lhe cortarem as goelas e respondeu com nova lataria. Falhou e a lata foi bater noutra. Bem, está a ver o caso. Confusão generalizada! As kitandeiras pegaram-se nas baçulas, digo baçulas mesmo, os monas meteram-se na maka pra roubar as latas abandonadas, os clientes começaram receber murros dos operários, algumas carteiras aproveitaram logo sumir nos bolsos dos lúmpens... Kazukuta totalé! O sacrista do cão, eu vi, foi pancando nas calmas as latas abertas que encontrava, as fechadas deixava para as pessoas. Nesse dia dormiu feliz, a arrotar o fruto do nosso duro trabalho. Um explorador descarado. Aprendeu com os antigos donos dele, aquilo nos tempos devia de ser cão de colono.

Mas a confusão não parava. A fábrica fica em rua movimentada, a gente juntava-se, os carros paravam para ver, houve engarrafamento de trânsito. Eu vi mesmo uma branca estrangeira a entrar num carro, toda arranhada, mas a segurar duas latas. Não sei se comprou se recuperou. Toda arranhada, mas tinha ar contente de quem ganhou uma batalha contra os karkamanos.

    Claro que a polícia tinha de vir. E a ODP. Aí comecei a afastar-me devagar, com polícia não quero nada, ainda menos a ODP que às vezes entra de catana. E não é que entrou mesmo? Eu vi. Claro que com catana de lado, só pra bater. Mas às vezes falham e não batem com o lado da catana. Achei o caso quente demais e abri para mais longe um cochito. Na polícia estava o Manuel e o Adão, bons rapazes do bairro, que até costumam estar ali a orientar os negócios e ficam com umas latas de comissão. Só que dessa vez chegaram já depois, nem puderam evitar a rusga. Até um sacana dum jornalista apareceu... Desculpe! Ah, está bem, já disse não é jornalista. Pois o sacana do jornalista veio, quando são precisos nunca aparecem, nunca que foram fazer reportagem na fábrica mostrar o nosso esforço a produzirmos pras massas populares, mas quando tem maka vêm logo só pra chatear. O que fez, claro, porque no dia seguinte o jornal tinha reportagem a acusar candonga na fábrica. Veja lá a sacanice! É por isso eu não posso com jornalistas...

    Com a ODP e a Polícia, a confusão lá parou. As pessoas dispersaram, houve mesmo feridos evacuados no hospital. Roupas rasgadas pelo chão, nem falar. Eu vi kitandeiras quase nuas a bazar dali, os panos todos ficaram. Uma tragédia. Ganhamos tão pouco e ainda temos de montar mais esquemas para revestir as nossas baronas. É isso mesmo a exploração.

    O pior não foi nada disso. Foi mesmo aquele filho-da-puta do jornalista – um mulato, se o agarro... A reportagem obrigou a fazer inquérito. Veio gente do Ministério em Ladas e Fiats a investigar... Bom, claro, o inquérito deles não deu nada... Dar deu, graças a mim!

    Na reunião com a comissão sindical e a de inquérito, aproveitei dizer que se a produção era baixa, se o Comércio Interno se queixava nada ou pouco recebia da fábrica para venda ao público, se o Banco queixava todos meses tinha de fazer empréstimo à fábrica para pagar os salários dos trabalhadores, etc., etc., tudo verdades, culpa toda era mesmo do Ministério. Eu estava à vontade pra falar, fui eleito pra comissão sindical com mais votos, a minha senhora não tinha estado na porrada. Já antes tinha avisado que a kitanda devia ser feita mais longe da fábrica. Agora, os meus colegas aumentaram ainda mais o respeito. Diziam eu via mais longe que todos. Aí falava de voz grossa. Abri as baterias contra a burocracia do Ministério e a direção da fábrica. Como podíamos trabalhar mais se não havia refeitório? Tínhamos de ir almoçar em casa. Não há transportes da fábrica, o maximbombo que havia há muito tinha entrado numa casa quando o motorista foi com ele à praia num domingo. Os donos da casa acordaram naquele domingo com o focinho do maximbombo a lhes cheirar os pés na cama. Verdade, até veio no jornal. Se não há transporte, temos de chegar duas vezes tarde no trabalho. Às nove da manhã (em vez das oito) e às três e meia da tarde (em vez das duas e meia). Duas horas a menos de trabalho, o povo é que ficava prejudicado, culpa era do Ministério que não punha transporte para os trabalhadores, nem refeitório. E do Diretor, que era um mole, não sabia vencer a burocracia do Ministério. Fiz mesmo um grande discurso político, estudei umas coisas na Alfabetização, pus todas as palavras-de-ordem do Partido, no fim os trabalhadores – a maioria – bateram palmas.

Claro que o filho-da-puta do jornalista não estava lá para pôr o meu discurso no jornal. Põe só doutros que não valem nada! Os do Ministério ainda quiseram responder não era preciso nada transporte, porque todos os trabalhadores moravam no bairro. E houve uns paus-mandados, como o Tobias e outros, lacaios, que deram razão aos do Ministério, diziam isso não é desculpa para chegar atrasado. Quem estava dar desculpa? Que raiva! Então o colono que comprou o maximbombo era burro? Em vez de defenderem a classe, o Tobias e os outros defendiam o patrão, que era o Ministério. Aí bravei. Nada que me parava. Falei mais uma vez e tive de arrebentar com os argumentos deles, noutro dia conto como foi. Falei dos carros dos diretores e outras coisas. Na passagem também mandei uns ameaços aos Tobias. A maralha bateu palmas, os do Ministério saíram de rabo baixo, disseram iam ver, os Tobias ficaram num canto a tremer. Traidores à classe dirigente, lacaios...

Agora já temos refeitório. Foi num tiro que o arranjaram, afinal era assim tão difícil? Melhoramos a pontualidade, só chegamos atrasados uma hora, de manhã. Recuperamos uma hora da tarde, porque almoçamos na fábrica. E continuamos a trazer as latitas. Deram-nos o refeitório, mas queriam tirar-nos as latitas. Veja lá! Perderam, desconseguiram mesmo. Ganhamos o refeitório e as latas. Com uma hora a mais de trabalho, saímos muito mais suados, mais cansados. A produção aumentou um bocadito, por isso às vezes até sacamos umas latas a mais que antes. O Comércio Interno continua a protestar, mas o problema é deles. Se querem mais produção, arranjem um maximbombo, tragam a matéria-prima a tempo, evitem os cortes de eletricidade, resolvam o problema da água, etc., etc. Se não é uma coisa que falta, é outra. Vamos inventar o que falta? As latas que fazemos primeiro são para nós. Ninguém tem medo de nada, quem manda é a classe operária.

No fundo, bem vistas as coisas, se o cão escapou de estragar o esquema, afinal até acabou por ajudar. Claro que não era a ideia dele, só queria aproveitar o nosso suor, o explorador. Mas é sempre assim: aquilo que nos fazem pra nos sacanear, se temos cabeça podemos virar ao contrário, ficar a ganhar. Foi como esse cão, que só vi uma vez.

E agora há coisas novas muito importantes. Adianto já contar, mas não vai pôr no livro. É que os meus colegas andam raivar cada vez mais contra o Diretor. Parece lhe apertaram as mãos no Partido, lhe chamaram incompetente, o que é verdade, e ele agora está armar em durão. Quer aumento de produção. Fez um plano de produção. Ele não, sabe lá fazer um plano! Fizeram para ele lá no Ministério. Esses burocratas estão cacimbados, dizem podemos produzir o dobro. Então o plano é esse: este ano produzir o dobro do ano passado. Como os gajos estão no ar condicionado, só fazem contas. As contas são muito bonitas, isso é muito fácil, também sei somar, aprendi já na Alfabetização... Mas nem querem saber como aguentar com o calor da fábrica e estar sempre de pé. Por isso os meus colegas começaram a refilar o Diretor tem de saltar, não defende os nossos interesses. Ele era operário qualificado, virou pequeno-burguês. Querem um dos nossos, um genuíno operário como Diretor.

Digo-lhe agora o principal: vieram falar que me propõem a mim. A mim mesmo, este que lhe está falar. Desde que me bocaram assim, comecei andar nervoso, já nem consigo dormir. Porque os lacaios dos Tobias já ouviram o mujimbo e estão fazer corredores no Partido e no Sindicato. Mas os meus kambas também falaram no Partido, no Ministério... No Sindicato tenho apoio, fui o mais votado. Está aí haver guerra subterrânea, fico à espera.

Já viu? Tenho de tirar carta de condução, porque vou ter um Lada ou um Fiat como esse sacana incompetente que é agora o Diretor... E se chumbar no exame de condução? Dizem é preciso ter a 4a classe. Mas para isso também há esquemas. Já não durmo bem. Até podia ter um cão como aquele pastor-alemão que provocou toda a maka.

Mas será que eles me nomeiam? Acha que não haverá um pequeno-burguês qualquer que vai emperrar, sabotar? Eles andam sempre à espreita para impedir as iniciativas das massas e a promoção da classe operária. Você que é escritor, tem obrigação de saber muita coisa, diga então: acha eles vão me nomear?

Oh, sukua, não consigo dormir enquanto não vier a nomeação. A minha senhora até já começou fazer vestidos caros, vai ser mulher de Diretor. Depois poderei sacar da fábrica as latas que quiser. Ela deixa a kitanda, abre mesmo uma loja. Mas

tenho medo algum oportunista burocrata me corta as pernas, são todos da reação interna...
    Não travou o gravador? Tudo isto vai sair? Veja lá o que faz. Vou dar-lhe sempre umas latas, mas esta parte o camarada não põe no livro...

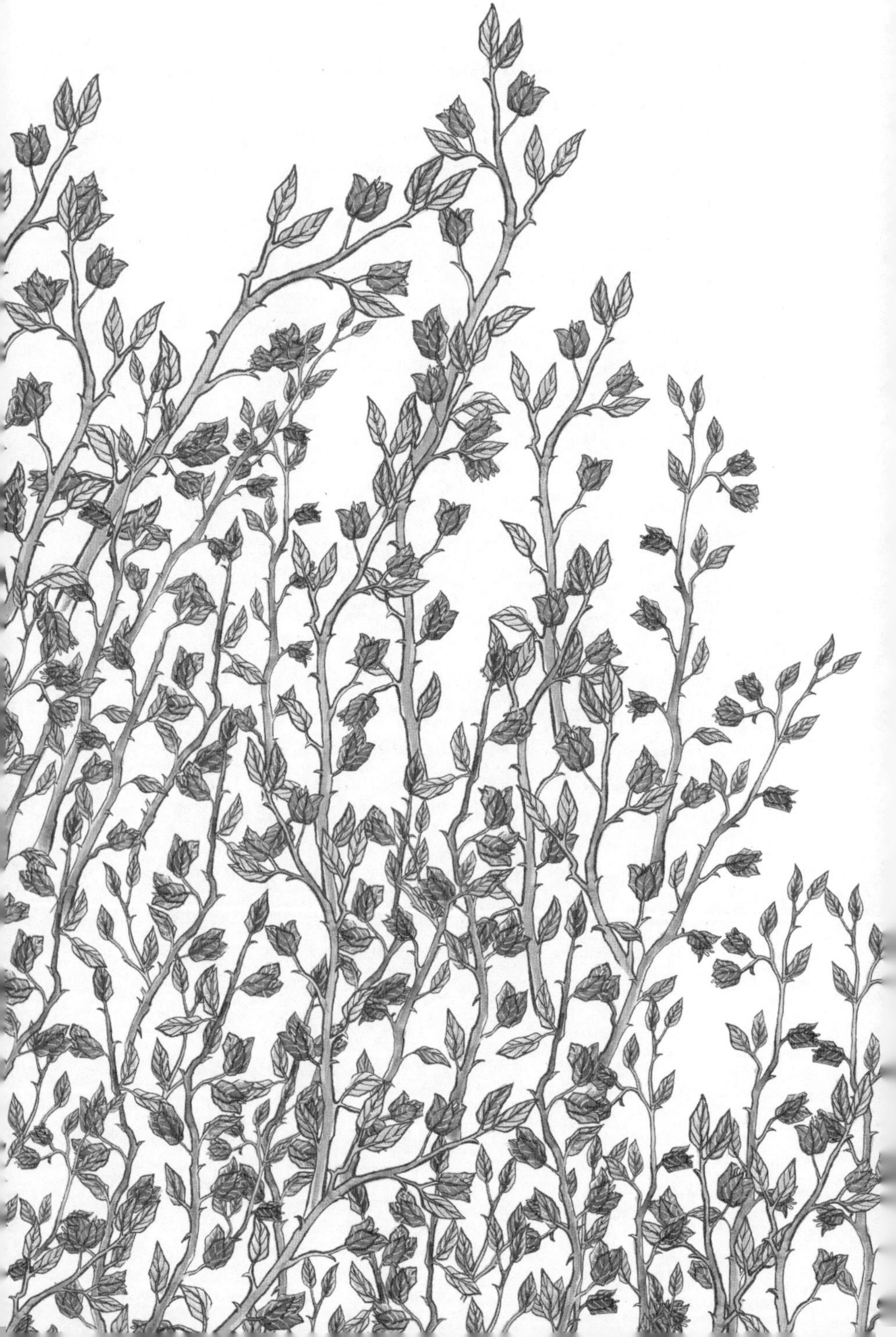

A buganvília 7

Passamos uma semana em Luanda. Semana dura de preparativos de aulas. Tive tantas saudades da quinta! Mesmo o Lucapa andava triste. Hoje ficou todo feliz aqui.

A mãe não veio. Tem uns negócios importantes na cidade: vai alugar uma antiga loja para vender a fruta e os legumes da quinta. Vai abandonar a kitanda, passar para lojista. Parece que não há dificuldade em legalizar isso, mas não percebo nada de negócios e não me interessa.

Falei à Odete e ela fez cara feia. Não quis explicar. É mais velha, tem a mania de ter segredos para mim. Mas se se trata dos meus pais, por que faz segredo para mim? Os amigos não são para se falar de tudo? Ou só dos namorados? Não gostei nada da atitude da Odete. Mais tarde vou dizer-lhe o que penso da atitude dela.

Notei diferença na quinta. As laranjas e tangerinas já estão quase maduras. As couves e as alfaces estão enormes, parece que a terra é muito boa. Para o mês que vem vamos começar a vender. O pai diz que até aqui foi só enterrar dinheiro: agora vai começar a dar. Eles ficam tão satisfeitos a fazer contas, a fazer listas de material! Enfim, agora o meu pai está mais amigo da mãe. Diz que lhe deve tudo, foi ela na kitanda que ganhou o dinheiro todo para pagar os trabalhadores, as galinhas, as sementes, os adubos, a carrinha e o novo sistema de rega da horta e do pomar.

A buganvília cresceu mais um bocado. A trepadeira de bagos vermelhos está a mirrar, asfixiada. A buganvília começa a encher o alpendre, já tem ramos grossos.

Amanhã voltamos para Luanda.

Regressados

Cena: *Um quarto de paredes escurecidas pelo fumo do fogareiro a carvão. Fogareiro no centro do quarto. Vários colchões e esteiras no chão. Uma cadeira e uma mesa. Uma janela, com cartões de diferentes cores a servir de vidros. Pregado na porta, um cartaz com um cantor africano a segurar um microfone. O rádio, em cima da mesa, toca música zairense. Oito pessoas no quarto, uns deitados nos colchões, outros de pé, um sentado à mesa com um livro à frente. Todos homens novos. Todos falam em lingala.*

1º REGRESSADO – Afinal isto é assim?

2º R – Estás mesmo a procurar emprego?

1º R – Todos os dias vou na bicha do emprego. Cada serviço que arranjam lá, não dá para aceitar. Só trabalhos pesados.

3º R – Estás só a perder tempo. Eu não vou lá, nunca fui nem vou. Na rua arranja-se mais facilmente.

4º R – Parece que já arranjaste alguma coisa!

3º R – Não tenho arranjado? Quem é que traz mais comida para casa?

5º R – A comida que tu arranjas...

3º R – É a que há. Comes ou não comes a comida que eu trago?

6º R – Todos comemos, que remédio!

3º R – O problema não é o dinheiro. Dinheiro tenho. O problema é depois sítio onde comprar comida. Vais na matança no mercado, gastas tudo e trazes pouco para comer.

6º R – Mesmo as nossas, que vendem micates, nos matam. Um micate cem kwanzas. Lá no Zaire não vendiam assim caro.

4º R – Olhem, se isso continua assim, eu vou voltar. Lá sou zairense.

7º R — Também estou a pensar em voltar. A família ficou lá. Vim só ver como era. Ainda nem bilhete de identidade angolano tenho.

8º R (*sentado à mesa*) — São ou não são angolanos? Se são, ficam. Se não são, então é melhor voltar.

1º R — O senhor doutor falou.

8º R — Não tenho razão? Sou angolano. Nasci cá, fui miúdo para o Zaire a escapar da guerra. Agora voltei e daqui não saio.

4º R — Mas lá eras zairense. Papéis e tudo que nasceste lá.

8º R — Era preciso para estudar. Não tinha outra solução. Mas sou mesmo angolano e daqui não saio mais.

7º R — Parece que não estão muito convencidos disso. Já reconheceram o teu diploma?

8º R — Não.

4º R — Então? Estudaste e aqui não te reconhecem o diploma. Senhor doutor só para curar as doenças dos amigos. Sem emprego.

8º R — Vai com o tempo.

1º R — Quanto tempo? Tens dinheiro para esperar?

8º R — Não.

1º R — Se não reconhecem rápido, o que vais fazer?

8º R — Vou para o kimbo, a família ajuda. Mas de Angola não saio mais. E o problema está a resolver-se.

3º R — Ele tem razão. Se somos angolanos, ficamos. Eu cá até não me safo mal.

6º R — Já lá te safavas bem. Tens mãos rápidas.

3º R — Tenho a minha arte. Porque isso também é uma arte.

8º R — Um dia apanham-te. Devias procurar emprego sério. Tens um diploma de eletricista já reconhecido aqui.

3º R — Tenho. E foi reconhecido, sim. Mas a ti posso dizer: é falso. Foi comprado lá no Zaire. Não sei nada de eletricidade.

7º R — Bem que desconfiei. No outro dia não sabias mudar os fusíveis.

3º R — Mas é um diploma. Aqui não notaram nada.

8º R — Porque foi no princípio. Qualquer diploma era considerado válido. Depois começaram a desconfiar. E agora, o meu, que é verdadeiro, não é aceite. Vocês que andaram a falsificar ou a comprar diplomas lá é que estão a lixar as pessoas que realmente estudaram e que querem trabalhar.

3º R – Tenho muita pena por ti, mas a vida é assim. Cada um desembrulha-se, é o artigo 15 da Constituição zairense!... De qualquer maneira, vives na minha casa. É uma compensação.

2º R – Tua casa!

3º R – E não é?

1º R – É, sim. Foi ele que encontrou o quarto livre. É a casa dele.

2º R – Qualquer dia vem aqui a Junta de Habitação e põe-nos a todos na rua.

8º R – Isso é verdade. Devíamos legalizar o quarto e pagar a renda. Qualquer dia ficamos na rua.

3º R – Eles não vêm. Estão preocupados com apartamentos caros para poder passar aos estrangeiros com dólares.

4º R – Podem vir. Basta uma denúncia.

5º R – E não temos nenhum amigo lá que nos safe. O doutor tem razão. Devemos legalizar.

3º R – Estão parvos ou quê? Se vamos lá dizer que vivemos aqui, aí é que nos põem mesmo na rua. Já aconteceu.

1º R – Já aconteceu, sim. É melhor deixar andar e confiar na incapacidade da Junta.

6º R – Esperem, esperem. Põe o rádio mais alto. É a Mpongo Love!

8º R – Mais alto que isto? Depois vêm os vizinhos chatear.

3º R – Aumenta o som, sim. Os vizinhos chateiam na mesma. Mesmo se a música está baixa, daqui a pouco vêm aí a bater na janela e a gritar isto aqui não é o Zaire, baixa o rádio, queremos dormir.

8º R – Têm razão. Vocês só ouvem quando o rádio está no máximo. Parecem surdos.

1º R – O doutor está sempre a defender esses mulatos...

7º R – É, ele gosta muito dos mulatos.

8º R – Não é por serem mulatos ou quê. São vizinhos que nós devemos respeitar. A cor não interessa. Já viviam aqui ao lado antes de todos vocês, não? Se vocês vieram depois e os incomodam com o rádio e as gargalhadas às duas da manhã, é normal que se chateiem.

2º R – Chateiam porque são mulatos. Têm a mania que são superiores.

3º R – Têm a mania que são superiores, sim. A mulher então... Quando passamos na escada, ela faz uma cara, assim, de quem está a cheirar merda.

8º R – Se fossem assim tão maus como dizem, já tinham ido à Junta denunciar-nos.

4º R – Lá isso é verdade. Não devemos chatear muito os gajos, senão vão mesmo denunciar-nos e depois é que estamos lixados. Na rua, sem sítio onde dormir nem cozinhar.

6º R – Mas, é verdade, ó doutor. Onde ias hoje de manhã com um cão ao lado?

8º R (*sorrindo*) – Viste-me? Fui à Universidade para ver o caso do diploma. Eles lá disseram que eu devia fazer exames, para provar que o diploma é verdadeiro.

3º R – E aceitaste?

8º R – Claro. É uma chance. Posso mostrar que sei mesmo medicina. Não tenho medo dos exames.

3º R – Mas isso é abuso! Então um tipo apresenta um diploma e ainda tem que fazer exame? Eu nunca aceitaria!

8º R – Porque o teu diploma é falso. O meu não é. Não tenho medo do exame. Mas então quando saí, um cão pastor-alemão, desses grandes, abordou-me. Andou toda a manhã comigo, dum lado para o outro. Um cão porreiro.

1º R – Não tiveste medo?

8º R – Medo de quê? Ele é pacífico. Primeiro veio cheirar-me, eu deixei, não fiz nada. Depois passei-lhe a mão pela cabeça. Aí ele ficou satisfeito e andou sempre comigo. Quando cheguei aqui no prédio, ele lambeu-me a mão. Como nas despedidas. Eu entrei, ele foi embora.

2º R – Isso é feitiço!
8º R – Não. Ele devia estar a precisar de companhia. Não deve ter dono. Se eu tivesse uma casa, trazia o gajo para viver comigo. Gostava de ter um cão desses.
3º R – Ainda bem que o não trouxeste para minha casa.
8º R – Nem havia lugar. Mas é pena.
3º R – Se fosse macaco, podias trazer.
2º R (*rindo*) – Macaco, sim. Há muito tempo que não como um macaco bem fumado.
4º R – Ai, meu Zaire, ué! Que saudade de macaco fumado!
7º R – Não só o macaco fumado. Que saudade de tudo!
8º R – Francamente, vocês os dois exageram. Parece que viviam muito bem lá.
4º R – Melhor que aqui.
3º R – Mentira! Não vos conheci lá? Nem moravam na cidade. E trabalhavam para aquele belga que tinha a oficina. Só vos tratava de macaco para aqui, macaco para ali. Mentira ou verdade?
7º R – Só às vezes.
3º R – Então? Eu vi um dia vocês a trabalhar. Os dois a carregar um motor bem pesado. Macacos, segurem bem isso, não têm força? E os dois a morrerem de fome. Mentira ou verdade?
4º R – Sim, o belga explorava-nos.
8º R – E viviam melhor que aqui?
2º R – Trabalhavam mesmo duro assim? E então aqui porque não vão trabalhar embora numa oficina? Se vocês conhecem a profissão...
7º R – Chega de exploração lá. Aqui não aceito.
1º R – Lá na bicha do emprego, há desses trabalhos. Para a construção, para arranjar as ruas, para as oficinas. Eu não aceito, porque sou fraco do peito e tenho diploma. Mas vocês podiam ir lá na bicha do emprego. Logo no primeiro dia arranjavam um trabalho que conhecem.
7º R – Eu já disse. Chega de exploração.
8º R – Aqui na terra, para vocês, trabalhar é ser explorado.

Preferem ficar nas bichas do cinema ou do futebol, comprar bilhetes para revender mais caro. Isso é que é vida?
4º R – Cansa menos.
8º R – Assim, vocês é que andam a explorar os outros.
7º R – Lá porque és doutor, tens a mania de dar lições de moral.
1º R – Não digam isso, o doutor tem razão.
4º R – Então porque não aceitas um trabalho numa oficina? Dizes que há muitos. Vai experimentar e depois fala.
1º R – Não veem que sou fraco? Já estive tuberculoso.
8º R – Penso que ainda estás.
1º R (*ansioso*) – Ainda?
8º R – Devias fazer exames de novo. Amanhã vou falar ao doutor Mpanzu para te receitar os exames. É melhor.
1º R – Está bem.
7º R – Tuberculoso ficava eu se voltasse a trabalhar numa oficina.
8º R – Mas queres voltar para lá. Vais encontrar emprego melhor lá que no belga?
5º R – O gajo está a armar. É bem forte. E aqui não o obrigavam a carregar motores sozinho.
4º R – Como sabes?
5º R – Ora, não conheço ninguém que se queixe muito da dureza do trabalho. Pelo menos lá no Porto estamos porreiros. E é trabalho duro, carregar e descarregar navios. Mas faz-se nas calmas!
6º R – E tem as suas vantagens, não é?
5º R – É. Sempre se desviam umas coisitas. Dá para viver. Ainda no outro dia vocês viram. Aqueles medicamentos que eu trouxe. Deu muito dinheiro.
3º R – Ora, dinheiro... Dinheiro para quê? Bom é mesmo quando desvias comida. Isso sim. O dinheiro não vale nada. Não se come dinheiro. Eu cá arrisco, arranjo dinheiro e ando sempre com fome. Nem sei como é que o cão amigo do doutor vive.
8º R – É, ele deve passar mal. Se não há comida para as pessoas, como é que um cão daqueles consegue viver? Porque

pastor-alemão come muita carne.

2º R – Deve apanhar os ratos na rua. São bem grandes.

8º R – Coitado, é capaz disso! Cão a caçar ratos...

7º R – Que se lixe o cão! Qualquer dia eu é que caço ratos.

1º R – Em vez de pensares em caçar ratos, devias ir trabalhar. Assim tinhas um cartão para fazer compras no supermercado.

7º R – Para comprar o quê? Não há nada nos supermercados.

6º R – Isso é verdade. O meu cartão serve para quê? Não veem o que eu compro? E deu tanto trabalho arranjar o tal cartão...

2º R – Nunca disseste como arranjaste esse cartão sem trabalhar.

6º R – Não disse? Então é porque vocês não perguntaram... Foi um amigo que trabalha lá.

1º R – Esse teu amigo não podia arranjar para todos nós?

6º R – Têm de pagar.

3º R – Dinheiro para pagar o cartão nunca foi problema. Só que não serve para nada.

1º R – Sempre sai qualquer coisa das bichas dos supermercados. Sempre ajuda.

6º R – Se queres, eu arranjo o cartão. Tens dinheiro?

1º R – Se não forem milhões...

6º R – Não sei qual é o preço agora, está sempre a subir. Mas paguei dez mil.

1º R (*para o 3º*) – Emprestas-me? És o nosso capitalista.

3º R – Se vieres comigo fazer o serviço que tenho para amanhã à noite, nem precisas de pedir emprestado.

1º R – Não. Tenho medo.

3º R – Medo! Não há perigo nenhum. Os donos da casa não estão. E as janelas não são gradeadas. É trabalho para principiante.

8º R – Já passaste para as casas? Julgava que eras só especializado em carteiras.

3º R (*rindo*) – Promoção profissional!

1º R – Qualquer dia lixas-te. Eu não vou. Mesmo se não me emprestares o dinheiro.

3º R – É que preciso de ajuda. Sozinho não posso fazer aquele serviço.
7º R – Divide-se a meias?
3º R – Claro. Queres vir?
7º R – É melhor isso do que voltar a trabalhar numa oficina.
8º R – Tenham juízo. As carteiras é uma coisa, dá sempre para escapar. Sempre, não, mas enfim... Agora uma casa é muito mais perigoso. E vão meter-nos a todos nisso. Sim, porque trazem os produtos para aqui. Se são apanhados, somos todos presos. Pensam que somos todos da rede.
3º R – Tu tens muita piada, doutor. Gostas de ouvir música. Mas sabes muito bem de onde veio esse rádio. Quando trago comida, tu comes. Sabes muito bem onde arranjei o dinheiro para comprar a comida. Se agora trouxer uma aparelhagem, qual é o problema?
8º R – Se te apanharem, vamos todos para a cadeia. Enquanto roubas carteiras na rua, o problema é diferente. É só tu. Podemos dizer que não sabíamos o que andavas a fazer. Mas se vens com objetos grandes duma casa, aí não há salvação.
3º R – A casa é minha. Posso trazer o que quiser e vocês não têm nada com isso.
7º R – Sabes, doutor? Devias ir conosco amanhã. Pode haver alguém ferido e assim ao menos utilizavas os teus conhecimentos médicos...
8º R – Boa piada, mas não tenho vontade de rir! Pela última vez, abandonem essa ideia. Vão-nos lixar a todos. E vocês não reagem? Deixam que esses dois nos lixem a todos e não dizem nada?
4º R – Dizer o quê? Bahh!
1º R – Não podemos permitir. Vamos todos parar na cadeia.
3º R – Quem não quer viver com objetos roubados, sai de casa. É muito simples. Eu tive pena de vocês e deixei-vos entrar, um a um, nesta casa. Agora, se querem chatear, então ponho-vos na rua.
8º R – Não precisas de pôr. Amanhã saio daqui.
6º R – E vais viver aonde?

8º R – Não sei. Na rua talvez. Pode ser que algum amigo me aloje. Senão fico por aí. E talvez encontre o pastor-alemão para me fazer companhia à noite nalgum jardim.
1º R – Eu também vou contigo, doutor.
3º R – Mais nenhum fala?... Muito bem. São só esses dois que vão embora. Os homens ficam.
8º R – Homens! Quero ver um dia...
7º R – Homens sim. Machos! Vocês parecem raparigas com medo.
8º R – Como queiras. Somos raparigas... Mas agora deixem-me estudar. Durmam, que já é tarde. Tenho de preparar os exames.
3º R – O doutor ainda quer mandar na casa do outro? Aumenta o rádio, Zandu. Que se lixe o doutor e que se lixem os vizinhos. Estou na minha terra e na minha casa.

(O rádio é aumentado para o máximo do volume. O doutor tapa os ouvidos, tentando concentrar-se no livro. A luz vai apagando.)

PEÇA ESCRITA PARA A RÁDIO NACIONAL
AUTOR: Mbika Eduardo

Que raiva!

Objeto: *Informação-Proposta do técnico de sanidade animal da cidade de Luanda ao Camarada Chefe de Setor.*

 Venho por este meio comunicar ao camarada Chefe de Setor que em países vizinhos da República Popular de Angola se têm vindo a registar alguns casos, por enquanto perfeitamente localizados, de raiva canina, que já provocaram vítimas mortais nalguns habitantes daqueles países.
 Conhecendo-se a precária situação sanitária da cidade de Luanda e a cada vez maior deficiência dos nossos serviços de análise e prevenção a qualquer epidemia do gênero, notando-se também a anormal quantidade de caninos famélicos pelas ruas da cidade, rebuscando nos contentores do lixo a comida que lhes não é fornecida, tomo a liberdade de chamar a atenção do camarada Chefe para este caso e permito-me fazer uma proposta que, a ser autorizada, poderia evitar um flagelo no nosso País.
 É só no intuito de evitar pragas e doenças, de consequências terríveis para este heroico povo, que me permito também alertar a alta autoridade do camarada para o seguinte:
 Além do aumento indiscriminado de caninos que pululam à solta nesta cidade, que é impossível combater pois há muito deixaram de funcionar os chamados "carros de cães", que faziam batidas pelas ruas a capturar os animais sem coleira nem atestado de vacina antirrábica, que se juntam a matilhas de porcinos, ratazanas, palmípedes, caprinos e outros animais não identificados, vários populares se têm referido ao fato de que, na zona da Mutamba, um espécimen da raça pastor-alemão, de aspecto subalimentado, perseguir alguns

passantes. Nunca se registou o caso de ele morder alguém, mas o seu aspecto geral e o fato de perseguir determinadas pessoas, cria suspeitas justificadas de que esteja a germinar a raiva dentro de si. Medidas adequadas deveriam e poderiam ser tomadas, pelo que proponho se exarasse o seguinte aviso à população, a ser transmitido por todos os órgãos de comunicação social:

> "AVISO – Avisam-se todos os proprietários de cães que do dia 1 ao dia 30 de março, estarão abertos postos de vacinação antirrábica para todos os caninos cujos proprietários os acompanhem, durante as horas normais de expediente. Os locais de vacinação são os seguintes: (A fixar depois da aprovação desta proposta.) Avisam-se ainda os proprietários que a partir desta data todos os cães não identificados, levando coleira com o nome do dono e devidamente vacinados, serão capturados e abatidos nas 24 horas seguintes."

Camarada Chefe, posso garantir que as condições estão para o efeito criadas. Devo mais informar que temos vacinas antirrábicas em quantidade suficiente, embora em precárias condições de conservação (as geleiras estão quase avariadas e não há peças sobressalentes), o que exige uma solução de certo modo rápida para que não se deteriorem, temos quadros auxiliares suficientes e minimamente preparados para assegurar o bom trabalho dos postos de vacinação e, com a ajuda das forças policiais, poderemos até lá organizar devidamente a captura de todos os canídeos não identificados.

Basta apenas que o camarada Chefe autorize a afixação do presente aviso e me autorize acionar as necessárias medidas subsequentes e já anteriormente descritas. Só quero insistir na urgência duma decisão.

Queira aceitar, camarada Chefe de Setor, as minhas mais respeitosas

SAUDAÇÕES REVOLUCIONÁRIAS
Luanda, aos 2 de fevereiro de 1980 – ANO DO 1º CONGRESSO EXTRAORDINÁRIO DO PARTIDO E DA CRIAÇÃO DA ASSEMBLEIA DO POVO.

O Técnico-Principal
(*assinatura ilegível*)

Parecer do Chefe de Setor

Tomada em devida consideração a informação-proposta do técnico-principal de sanidade animal, estudada e analisada aprofundadamente e exaustivamente a questão, com a objetividade que caracteriza o caráter científico de análise do Marxismo-Leninismo, feita uma inventariação rigorosa dos meios humanos e materiais disponíveis, chegou-se neste Setor à conclusão, depois de consultadas as estruturas políticas, sindicais, associativas e recreativas de base que: a proposta é, não só de aceitar, como urgente, inadiável e a sua demora representará negligência burocrática, o que, no nosso País, "trincheira firme da Revolução em África", deve ser considerado crime doloso.

No entanto, por se tratar de assunto melindroso, a que convém juntar o maior número de dados e ver todas as possíveis implicações, em particular as repercussões políticas em relação à população da cidade que pode considerar isso como uma volta às práticas do tempo colonial, deixo a decisão à alta consideração e ao critério sempre isento e competente do camarada Chefe de Departamento.

O mais importante é resolver os problemas do Povo!
A luta continua!
A Vitória é certa!

Luanda, aos 15 de abril de 1980 – ANO DO 1º CONGRESSO EXTRAORDINÁRIO DO PARTIDO E DA CRIAÇÃO DA ASSEMBLEIA DO POVO.

O Chefe de Setor
(*assinatura ilegível*)

Parecer do Chefe de Departamento

Lida com toda a atenção atentiva a informação-proposta do setor de sanidade animal e até mesmo o parecer do seu chefe muito atenciosamente. Considerado o caso bastantemente importante e urgente insisto preciso tomar já medidas urgentes sem burocracia que entravam o processo produtivo.

Até que já eu mesmo na Mutamba fui quase abordado pelo citado cão pastor-alemão que apesar de bonito me cheirou as calças, não sei o que procurava.

Porque o Partido já definiu como sempre com clarividência revolucionária se deve prevenir a doença antes de lhe curar e a raiva é fenômeno intolerável na nossa sociedade rumo ao socialismo científico porque só os reacionários aqui no nosso riquíssimo País podem de andar raivosos. Porque todas as condições estão criadas dou o meu douto parecer se deve mandar publicar o aviso por todos os órgãos do corpo social.

Único problema estou ver é preciso mudar as datas que já estão antepassadas.

Mas como Diretor é para dirigir, envio à consideração superior.

O mais importante é resolver os problemas do Povo!
A luta continua!
A Vitória é certa!

Luanda, aos 27 de junho de 1980 – ANO DO 1º CONGRESSO EXTRAORDINÁRIO DO PARTIDO E DA CRIAÇÃO DA ASSEMBLEIA DO POVO.

O Chefe de Departamento
(*assinatura ilegível*)

Despacho do Diretor

Não deve haver receio da opinião popular, se a decisão é justa. Autorizo. Acionar.

Luanda, aos 5 de outubro de 1980 – ANO DO 1º CONGRESSO EXTRAORDINÁRIO DO PARTIDO E DA CRIAÇÃO DA ASSEMBLEIA DO POVO.

O Diretor
(*assinatura ilegível*)

Informação do Técnico-Principal de sanidade animal da cidade de Luanda

Acabo hoje de ter conhecimento do despacho favorável do Camarada Diretor, aprovando a minha proposta de 2 de fevereiro do ano corrente.

Infelizmente, cumpre-me o doloroso dever de informar que, face ao tempo que decorreu, as condições humanas e materiais recolhidas se perderam. As vacinas deterioraram-se, devido às más condições de conservação a que já fizera alusão na minha proposta; muitos dos quadros-operadores já arranjaram empregos noutros serviços que pagam salários mais elevados e até o cão pastor-alemão que o Cda Chefe de Departamento conhece deixou de aparecer na Mutamba há meses.

É preciso pois fazer nova importação de vacinas, o que leva meses senão anos, bem como formar novo pessoal, o que repõe o eterno problema dos salários.

Peço pois autorização para dar como anulada por inoportuna e impraticável neste momento a minha informação--proposta de 2 de fevereiro de 1980 e que seja assim anulado o despacho do Cda Diretor de 5 de outubro.

Luanda, aos 16 de outubro de 1980 – ANO DO 1º
CONGRESSO EXTRAORDINÁRIO DO PARTIDO E
DA CRIAÇÃO DA ASSEMBLEIA DO POVO.

O Técnico-Principal
(<i>assinatura ilegível</i>)</p>

Parecer do Chefe de Setor

Muito urgente. À consideração superior.

Luanda, aos 18 de outubro de 1980 – ANO DO 1º
CONGRESSO EXTRAORDINÁRIO DO PARTIDO E
DA CRIAÇÃO DA ASSEMBLEIA DO POVO.

O Chefe de Setor
(<i>assinatura ilegível</i>)</p>

Parecer do Chefe de Departamento

    Confirmo urgência. À consideração superior. O mais importante é resolver os problemas do Povo!

    Luanda, aos 20 de outubro de 1980 – ANO DO 1º CONGRESSO EXTRAORDINÁRIO DO PARTIDO E DA CRIAÇÃO DA ASSEMBLEIA DO POVO.

        O Chefe de Departamento
        (*assinatura ilegível*)

Despacho do Diretor

    Anulo o meu despacho de 5 de outubro de 1980. Quando se fazem propostas, elas devem ser realistas e possíveis de aplicação. Censura registada ao técnico-principal de sanidade animal.

    Luanda, aos 26 de outubro de 1980 – ANO DO 1º CONGRESSO EXTRAORDINÁRIO DO PARTIDO E DA CRIAÇÃO DA ASSEMBLEIA DO POVO.

        O Diretor
        (*assinatura ilegível*)

A buganvília 8

O Antônio voltou com mais três trabalhadores. Mas depois falaram com o pai e saíram a resmungar. Não estão satisfeitos com os salários.

Desta vez viemos todos. O pai mostrou a quinta completa ao Xico. Passearam duas horas por ela.

O Xico perguntou por que o pai não fazia tomate a sério e mais tarde uma fábrica para concentrados e compotas. O pai coçou a carapinha, que já está a ficar branca, e respondeu: "Sou quase analfabeto, passar da kitanda para a quinta ainda posso. Mas para avançar numa fábrica já não sou capaz. Quando acabares o curso, vais ser economista, saberás fazer os cálculos e dirigir uma fábrica. Nessa altura, sim, lançamo-nos nisso." Como o Xico disse que estava de acordo, o pai ficou todo satisfeito. Deu-nos whisky antes do jantar para festejar os planos.

É, nunca tinha pensado, o pai sabe ler muito mal. E a mãe não sabe nada, só fazer contas. O pai antes estava sempre a xingá-la que era mulher de panos. Agora não, até a trata muito bem pelo dinheiro que ganhou.

O Xico vai dirigir a fábrica do pai aqui na quinta. E eu que farei? Nunca tinha pensado. Tenho de perguntar à Odete. Oh, já sei que ela vai dizer como no outro dia: sonhos burgueses.

Encontramos a trepadeira de bagos vermelhos morta. O Lucapa ganiu de pena. Afinal ele gostava da trepadeira. A buganvília, crescendo, matou a trepadeira. Detesto a buganvília. Pedi ao Antônio para a cortar. O pai berrou que não. Eu disse que ela era voraz, matava tudo. O pai disse para a deixar, tocarem nela era o mesmo que tocarem nele.

A buganvília está quase a encher todo o alpendre. Para dormir lá, o Lucapa vai certamente arranhar-se e não vai gostar.

Entre judeus

A vida estava chata, sobretudo naquela noite. Resolvi ir ao Trópico, onde costumo beber um copo no bar americano e às vezes encontro gente que vale a pena.

Estava a saborear o meu uísque, já meio enfastiado, quando ela apareceu. Mulata dengosa, vestido brilhante, provocante, muito nova. Defini logo a profissão: quitata-de-luxo. Sentou-se à minha mesa. Só depois perguntou:

— Posso?

— Já está!

— Você é cooperante. De que país?

Tentei falar o português com sotaque um pouco estropiado:

— Não é capaz de adivinhar?

— Deixe ver. Já tenho certa prática para adivinhar nacionalidades, pela cara e a pronúncia. Assim escuro, de país socialista não é, só se fosse cubano... Mas não fala como cubano. Pode ser africano, mas não falaria tão bem o português. Fale mais um bocado.

— Ora, falar, falar... Devia adivinhar pelos olhos.

— Já sei. Tentou aldrabar-me. É brasileiro, lá tem muito mulato. Mas está a esconder a pronúncia. Só pode ser brasileiro a disfarçar.

— Posso ser cabo-verdiano...

— Nada! Esses topo logo. Sigo as novelas da Televisão, por isso conheço bem a maneira de falar dos brasileiros. Também já conheci bem um brasileiro...

— Talvez tenha acertado.

— Acertei, sim. Olha, simpatizo contigo. Aqui tratamos por tu, quando simpatizamos. Lá no Brasil você é que é carinhoso.

— Conheces muito do Brasil.

— Um dia vou lá. Há agora umas excursões faines e nada caras. Pagas um uísque?

Fiz sinal ao criado. Avançou logo. Ela já era conhecida ali, também os seus gostos. Resolvi não a enganar mais. Mas ela falou antes de mim.

— Lá no Brasil não sei como é. Mas aqui nós os dois temos uma coisa em comum. A cor, sabes? Mulato é o judeu de Angola. Ouvi isso dum amigo poeta e gostei da ideia. Mulato-judeu-de-Angola! Os judeus sempre foram os tipos que levaram de todos. Aqui é o mulato. Se alguma coisa corre mal, a culpa é do mulato que estiver mais perto. Porque os negros têm a sua tribo, as suas grandes famílias, defendem-se. Mulato não tem tribo. Melhor, a sua tribo é a dos mulatos... Temos isso em comum. E no Brasil?

Já era demais. Falei:

— Olha, estás enganada. Sou bem angolano. Se quiseres, judeu de Angola, como tu. Estás a perder só o tempo comigo, não sou cooperante, não posso entrar na loja dos cooperantes, para te comprar uísque, os perfumes caros, os vestidos, os sapatos... Achei melhor não te aldrabar, fazer-te perder tempo. Ou não é disso que vives?

Não se zangou, como eu esperava. Não me atirou com o copo à cara. Ficou séria, depois sorriu.

— És faine! Vais virar meu kamba. Podias aldrabar-me toda a noite. Prometer-me meias de nailon, bué de coisas, irmos pra cama e só no fim dizeres que eras angolano. Por que foste honesto?

— Sei lá. Nasceu comigo.

— Qual é a tua profissão?

— Já tive várias, faço biscates. Mas a única que gostaria de ter, é quase um segredo, era a profissão de escritor. Ainda não sou capaz. Escrevo uns contos, estou a tentar um romance, dizem que tenho jeito. Mas para viver, por enquanto, vou biscatando por aqui e ali. Dou também umas aulas de Português, que agora chamam Língua Veicular, mas que é a mesma, para aumentar uns kwanzas no bolso, à espera da ocasião...

— Fixe! Um escritor... Já vi vários, nunca conheci bem nenhum.

– Que é isso, conhecer bem alguém?
– Ora, sabes muito bem. Onde se conhece bem alguém? Só na cama! E nunca surgiu a oportunidade. Os angolanos sabes como é, muito difícil. Escritores cooperantes não vêm. Há cooperantes para tudo, porque não para isso também? Vêm às vezes uns convidados, vejo no jornal, mas ficam tão pouco tempo, só por acaso dá para conhecer. Também há outra coisa: são muito velhos...
– Mas houve aí uma conferência internacional de escritores...
– Ah, a Afrodisíaca! Sim, mas o Protocolo cortou-me as pernas.
– Afro-asiática – corrigi.
– É. Também achei que o nome não estava bem, porque não pareciam nada isso. Mas às vezes as pessoas enganam. Todos os escritores são velhos?
– Nós não somos...
– Claro – disse ela. – Falo dos estrangeiros. A minha caça está orientada para aí. Ou nacionais com acesso a certas lojas... Especialização profissional, entendes.
– Compreendo. És muito bonita e muito nova. Que idade tens?
– Vinte.
– E já conheceste bem muitos homens?
O gesto dela abarcou o bar, saiu dele e abraçou o Mundo inteiro.
– Buéréré! Um batalhão! Alguns bonitos, mas raros. De todas as nacionalidades. A ONU, numa palavra. Às vezes não sabem dizer nada na nossa língua, só fazer o gesto: o polegar e o indicador da mão esquerda a formar um zero e o indicador da direita esticado a entrar no zero.
– É. Um-a-zero...
– Não – disse ela. – Um-no-zero!
Rimos aquela gargalhada da juventude. Ela era linda, jovem, falava bem e à vontade. O fastio tinha ido para lá da noite na cidade. A pena, porém, começou a entrar em mim.
– Porque não mudas de vida?
– Olha. Estou no escalão mais alto, exceto evidentemente

mulher de... Senhora de... Quem ganha mais dinheiro é a kitandeira, essas estão a encher-se. Mas têm dinheiro e não produtos. Têm de meter o kumbu nos garrafões e enterrar no quintal. Eu tenho os produtos de importação, de borlex. Se preciso de dinheiro, vendo um vestido usado a matar... umas meias, uma saca, uns chupas, ao preço que quiser. Mas é mesmo ao preço que quiser. Sabes que uma saia de linho indiano paga a passagem de avião para a Europa? Não sabias, fica então a saber. Por isso estou lá em cima... Vendo o corpo, não, alugo o corpo, mas não vendo a alma. Que conta mais?
– Não pensas arranjar família? Abandonar tudo, agarrar um borracho e casar?
– Um dia vou encontrar o príncipe encantado. Ele ainda não apareceu... ou então... não, não sei.
– Ias dizer qualquer coisa importante.
– Ia, sim, ia. Mas tu vais rir. Porque é disparatado. E vais pensar que acredito em feitiço. E nem chega a ser verdade. Mas tu és escritor, talvez não te rias...
– Juro-te que não vou rir – e segurei na mão dela, sem segundas intenções, só para encorajar.
– Está bem, conto-te. Dormi com muitos homens, sou uma quitata, pra quê esconder a palavra feia? Mas não amei nenhum deles. Nem um cochito. Nunca amei nenhum homem. É normal? Sonho ele vai aparecer um dia, o tal, o único. Para ele me guardo. A coisa que mais amei foi uma boneca de olhos azuis que me deram quando tinha dois anos. Ainda durmo com essa boneca. E depois... depois foi um bicho, um cão...
– É tudo normal.
– Achas? Aí começa a feitiçaria. Ia dizer-te que esse cão me apareceu – foi o único que pareceu – como o tal príncipe encantado. Um príncipe encantado disfarçado de cão. Claro que depois não acreditei, isso passou. Um pastor-alemão me apanhou na Mutamba, ficou uns tempos lá em casa. Depois da boneca, foi a coisa que mais gramei. Aí era diferente. Com o cão era

físico. Parecia o meu príncipe. Às vezes até tinha vontade de fazer amor com ele... Nunca fiz... As festas que lhe fazia eram mesmo festas e ele olhava com aqueles olhos de cama e ficava quieto a receber as festas. Tive vergonha dele, só por isso. Estás com cara de nojo, não sei porque conto.

– Estás enganada. A minha cara deve ser apenas de alguém que está muito mais interessado do que pensas. O que dizes é bonito e agradeço a sinceridade. Olha, nem sei teu nome, vais ficar Judite. Não, não quero saber o teu nome. Para mim chamas-te Judite, nome de judia.

– Judite é um nome lindo!

– Enquanto falavas, Judite, lembrei-me duma coisa e é fantástico. Tenho um amigo, um escritor mesmo, só vive de escrever, às vezes anda roto, sujo, sem casa, com fome, mas recusa fazer outra coisa, só escreve. Vive para escrever e escrever dá-lhe vida...

– Deve ser um homem!

– E é mesmo. Esse meu amigo interessou-se pelo pastor-alemão que bate a Mutamba, só pode ser esse de que falaste. Conta-me tudo sobre ele, para o meu amigo.

– E o teu amigo vai fazer o quê com os conhecimentos?

– Está a escrever um livro sobre o pastor-alemão.

– Verdade? Que bom! Esse cão merece isso e muito mais... Ele merece tudo.

– Conta então tudo.

Ela bebeu o uísque duma assentada até ao fim. Virou o copo. Pensei que aprendeu isso com algum soviético. Falou:

– Não há muito mais a contar. Eu gostava dele e ele de mim. Só que tinha ciúmes. Quando trazia um homem para casa, dava sempre maka. Tinha primeiro que fechar o cão, porque ele atacava os homens. E uma parte do trabalho tem de ser feito em casa, na cama, não é?

– Há aí uma coisa que não entendo. O meu amigo escritor diz que ele nunca atacou ninguém.

– Comigo, sim. Atacava qualquer homem que entrava comigo

em casa. Mas atacava com raiva, mordia mesmo, eu tinha de o puxar, de gritar, chamar a vizinhança. Tinha ciúmes. É isso. Estragava o negócio, criava escândalo, tive mesmo de mudar de prédio depois. Os vizinhos exigiram. Ficou comigo uns seis meses.
– Despachaste-o!
– Nada, não podia. Ele é que me deixou. Não sei porquê. Claro que é disparate, cão não pensa. Mas no fundo de mim mesma eu acho uma coisa. Sabes o quê? Ele percebeu não dava, estragava-me o negócio, abandonou-me. Para eu ser livre de fazer a minha vida. Sei que é estúpido pensar assim, mas pode haver outra explicação?
– Nem quero outra, pois essa é a mais bonita. Tens razão: parece feitiço. Não seria mesmo um príncipe encantado?
Um lampejo de raiva fez brilhar os olhos dela.
– Estás a gozar-me!
Apertei-lhe a mão com força.
– Juro-te que não estou. Também não acredito em fadas e coisas assim. Mas às vezes a vida... oh, sei lá... porque não ir atrás duma linha que é de um lindo tom azul? Não temos esse direito? Acredita, não te quis ofender.
– Desde que ele foi, ficou um vazio, fiquei mais sozinha, realmente sozinha. Só tenho a boneca. Não chega.
Foi então que a ideia surgiu. Mandei vir mais dois uísques, pensei bem antes, afagando-lhe a mão. Falei de mansinho, para não assustar.
– Ouve, Judite. Tive uma ideia, não sei o que vais achar. Pensei escrever esta conversa que tivemos, fazer um conto, e oferecer ao meu amigo. Se ele pensar que fica bem no livro, entra a estória que escrevi. Vou chamar-te Judite, nome judeu, ninguém vai saber que és tu, ninguém mesmo. Mas só se aceitares...
Ela riu, a tristeza ficou para trás do riso.
– Vou aparecer num livro? E o meu cão também? Que bom!
– Posso escrever tudo o que me falaste?
– Claro. Peço só para não me pores muito má. As pessoas

têm sempre a mania que as quitatas são más, são só mercadoria na montra...

— Primeiro pensei apresentar-te ao meu amigo. Mas depois a ideia veio. Posso ser eu a escrever esta conversa, afinal eu é que te conheci, só eu é que podia...

— Podes mesmo, Samuel. Chamo-te Samuel, nome de judeu. Também não quero saber o teu nome. Podes escrever e dar ao teu amigo.

— Faine! Esta noite mesmo vou escrever, Judite. Sei que vai sair bem. Se leres o livro, um dia, vais ver essa parte e vais saber que a Judite és tu. E que te acho linda e uma garina fixe, fixe mesmo.

Bebemos os uísques em silêncio. Depois ela disse:

— Esta noite não vais escrever o conto. Amanhã tens tempo.

— Por quê?

— Hoje vou dar uma de generosa. Vamos pra cama, fazer amor na tribo mulata. A paga são esses uísques e o conto que vais escrever. Abro a primeira exceção na minha vida.

— Fazes feriado? Vais perder dinheiro.

— É, está decidido, sei que também queres. Leio nos olhos.

— Mas porque aceitas o que não pedi?

— Por isso mesmo. Ou porque és o meu primeiro escritor e um borrachinho ainda por cima. Ou por solidariedade de judeus!

Na noite seguinte, na solidão do meu quarto de solteiro, escrevi este conto que ofereço ao autor do livro. Que dele faça o que quiser.

Só não falo do que se passou no quarto de Judite, ninguém tem nada com isso. Mas adianto que se tivesse um Rolls Royce, um Boeing, uma ilha no Atlântico, sei lá quê, lhe daria depois daquela noite. Só tinha uma coisa para lhe dar e ela ansiava por ela. Foi o que dei: ternura.

A buganvília 9

Desta vez vim só eu para a quinta. A mãe e o Xico ficaram.
A mãe foi inaugurar a loja com o primeiro carregamento da quinta: couves, alface, tomate, galinhas, ovos e fruta. À noite disse que foi uma enchente, acabou-se tudo em duas horas. É mais caro que nas bancas estatais mas as pessoas compram. O Xico disse para ela ter cuidado com os preços acima dos legais. Ela respondeu não há problema, o fiscal está no esquema. É que precisamos ganhar dinheiro rápido para comprar tratores e aumentar a produção de tomate e depois comprar a fábrica de concentrados que o Xico dirigirá.
Aqui na quinta está tudo normal. Tudo não.
O Lucapa está desesperado, mal consegue dormir no alpendre porque a buganvília invadiu tudo.
Com uma catana cortei dois ou três ramos para fazer espaço para o pastor-alemão dormir. Mas sei que na semana próxima já está tudo outra vez cheio. Quando cortei os ramos, às escondidas, tive uma impressão estranha: com as conversas do pai, até me pareceu que estava a cortar-lhe um braço. Será cazumbi, como dizem os trabalhadores bailundos?
Ainda lá estão restos da trepadeira de bagos vermelhos apertados pelos braços da buganvília O Lucapa olha para eles e uiva. Como se fosse para um ponto desconhecido muito à nossa frente.

Objeto: Relatório das ocorrências na bicha do Martal

O agente DIAS, mais conhecido pelo nome de serviço de OLHO DURO, vem por este meio fazer constar no camarada Inspetor o seguinte:

A – INFORMANDO:

Estando eu de serviço pelas 9 (nove) horas da manhã do dia 27 (vinte e sete) de abril, na zona que vai da Maianga até no Bairro Alvalade, apercebi-me de grande maka que passava à frente do Supermercado Martal, sito na Avenida António Barroso. Vendo que sozinho não podia conter a confusão, mandei chamar de urgência um carro-patrulha que (por acaso rápido) dez minutos depois chegava. Com ajuda de alguns populares, conseguimos de acabar com a desordeira maka, detendo alguns mais recalcitrantes, que por acaso eram mulheres. Duas horas depois, por ordens do Cda Inspetor, todos foram soltos.

Dos diversos testemunhos e depoimentos (anexos de 1 a 24), de que junto fotocópias conformes, apurei as causas do incidente que passo a transcrever. O Cda Inspetor poderá concluir, através dos 24 (vinte e quatro) anexos, se a minha versão é correta e, em caso de necessidade, aprofundar-se a investigação.

Havia uma grande bicha desde as 5 (cinco) horas da manhã, porque o mujimbo correu na véspera que da Martal ia sair bacalhau. Maior parte das kitandeiras mandaram os filhos cedinho para a bicha, a tomar lugar. Algumas colocaram pedras ou tijolos, antes da meia-noite da véspera, a marcar o lugar à frente mesmo da porta. Mas os primeiros que chegaram às 5 (cinco) da manhã[1] desconsideraram as pedras e tijolos na frente deles e ficaram já junto da porta, com os pés empurraram as pedras para trás. Aqui os testemunhos são contraditórios e é difícil chegar a uma conclusão, pois estes primeiros acusados eram crianças que puderam bazar a tempo, quando chegou o carro-patrulha.

O certo é que às 9 (nove) horas, quando ia abrir o supermercado (abertura em atraso, porque os trabalhadores estavam com medo da avalanche que se poderia produzir, ao verem as centenas de pessoas que faziam bicha), as mulheres donas das pedras de marcar lugar apareceram a reclamar que tinham sido enxotadas para trás.

Como o Cda Inspetor não pode deixar de saber, é importante ser dos primeiros a entrar, pois podem revender logo ali ao lado no Alvalade o bacalhau a preços especulativos (a revenda, claro!). E às vezes ainda dá tempo para entrar outra vez na bicha e comprar mais, se se deixou uma pedra mais atrás.

Mas as crianças que chegara primeiro já tinham dado lugar às suas mamãs e ficavam de lado a gozar as donas das pedras, segundo estas, como consta nos autos. As mamãs dizem que é mentira, que as crianças às 8 (oito) horas tinham que estar na escola, porque o ensino é obrigatório e os filhos delas nunca faltam. Aqui posso afirmar que pelo menos algumas das mamãs mentiram, pois vi com meus próprios olhos crianças ao lado da bicha. Também é certo que há turnos de aulas à tarde, o que não facilita o esclarecimento do caso. Embora que as aulas não comecem às 8 (oito) horas, mas sim às 7h30 (sete horas e trinta minutos), como se pode provar pela declaração do Diretor da Escola da Maianga, chamado a depor (em anexo).

---

1 Lembro ao Cda Inspetor que o recolher obrigatório é da meia-noite às 5 (cinco) da manhã, daí a importância dada às horas nesta investigação, como mandam os princípios da técnica de investigação (vide os clássicos Conan Doyle e Agatha Christie): duma coisa asseguro, não houve infração ao recolher obrigatório.

Quando as portas iam abrir, um cão de raça pastor-alemão que por ali passava, também se meteu na bicha. Todos são unânimes em declarar que o cão não tomou atitudes hostis nem de animosidade[2]. Ia de pessoa a pessoa, a cheirar, talvez procurando um dono perdido. Mas como já havia muita discussão entre as mulheres aglomeradas nos primeiros lugares, com os habituais "Você tirou a minha pedra do sítio", "Eu é que cheguei primeiro", "Já não se respeitam as leis da bicha", etc., etc., os ânimos estavam exaltados. Ao cheirar uma das mulheres que se sentia prejudicada, o cão recebeu um pontapé e um enxotanço. Ele recuou e a dona do tijolo empurrado avançou para fora. Com o avanço lateral, a senhora ficou fora da bicha e os que estavam atrás aproveitaram avançar e tapar logo o lugar vazio. Ela quis voltar ao seu sítio na bicha, no momento preciso em que se abriam as portas. A força que vinha do fundo da bicha a empurrar impediu a senhora de voltar ao lugar. Então começou a pancadaria, pois a suposta lesada (segundo suas próprias declarações) agrediu um homem que antes estava mesmo atrás dela. O homem respondeu à violência, as outras mulheres envolveram-se e aí estalou a maka.

Praticamente nenhum componente da bicha escapou, voluntária ou involuntariamente, de entrar na maka. O supermercado teve de encerrar de novo as portas, até que as forças policiais e alguns populares mais conscientes conseguissem de acabar com as cenas, tendo-se registado a detenção de 23 (vinte e três) senhoras e 1 (um) homem, cujas declarações se anexam.

A Martal só abriu às 12 (doze) horas, depois de se autorizar a reabertura e constatar-se que o mujimbo era falso, pois infelizmente não havia nenhum bacalhau para vender, o que lamento ter de informar ao Cda Inspetor, conhecido apreciador do produto.

---

2 Aqui quero deixar bem claro que não me movem sentimentos baixos de grupismo ou fraccionismo, lá porque se trata dum chamado "cão-polícia". Todos os testemunhos em anexo provam a objetividade do meu julgamento sobre a atitude do bicho.

B – CONCLUINDO:

1 – É mau o sistema das pedras ou tijolos que nunca ficam devidamente identificados;

2 – O culpado é a especulação que grassa e faz com que as mamãs lutem por bacalhau que não existe para depois o revenderem às donas de casa do Alvalade;

3 – É difícil apurar todas as responsabilidades, pois faltam testemunhos preciosos e os que há são contraditórios e alguns nitidamente mentirosos. Mas quais?

4 – O cão não teve culpa. Parece mesmo ser o único "inocente" provado. Mesmo que fosse o culposo, não foi detido e ninguém mais o viu.

C – PROPONDO:

Em função das conclusões tiradas em B, permito propor ao criterioso julgamento do Cda Inspetor as seguintes propostas, a primeira de execução imediata e as duas seguintes para subirem a quem de direito:

1 – Que se dê por encerrado o incidente da Martal, pois não houve vítimas a lamentar;

2 – Que se combata o mujimbo através de todos os meios, para que cenas tão lamentáveis não voltem a se produzir;

3 – Que se faça uma lei a definir se, na sociedade socialista, pedra e tijolo servem ou não para marcar lugar na bicha.

Luanda, aos 27 de abril de 1980 – ANO DO 1º CONGRESSO EXTRAORDINÁRIO DO PARTIDO E DA CRIAÇÃO DA ASSEMBLEIA DO POVO.

O Agente de Serviço
ass. DIAS (OLHO DURO)

Conversa com um informador pouco cooperativo

AUTOR – Só quero que me conte o que sabe do cão.

XIS – Não vejo o interesse. Sei até pouco.

AUTOR – Do que aprendi no curso do meu inquérito, o cão suscita sempre uma situação que as pessoas não esquecem. E quando falam do cão, explicam coisas interessantes.

XIS – Estou ver. Assim é outra coisa. No fundo, o camarada quer é saber sobre mim... Pretexto é o cão.

AUTOR – Compreendeu-me mal. Nada quero saber de si.

XIS – Bom. Acaba por dar nisso ou nada tem sentido. Mas interessam-lhe situações comprometedoras em que eu me tenha metido.

AUTOR – Só se o cão esteve nelas?

XIS – E se não esteve?

AUTOR – Não.

XIS – Realmente, à procura de quê anda? Do cão? Até eu sei onde ele está. Digo-lhe, se quiser. Foi por acaso que soube, mas reconheci-o.

AUTOR – Não nos entendemos. Ando à procura de pessoas que o conheceram para me falarem dele. Não ando à procura dele.

XIS – E faz-me perder tempo com isso?

AUTOR – Peço-lhe desculpa. Pareceu-me que estava disposto a colaborar.

XIS – Não será por acaso polícia?

AUTOR – Tenho cara?

XIS – A cara não conta. Há polícias com todas as caras, a que se quer ter num momento. Até chega a haver polícias sem cara, nunca viu? Você tem métodos. Gajo com gravador, ou jornalista ou polícia...

AUTOR – A polícia agora usa uns gravadores pequeninos que se escondem em qualquer sítio, que ninguém vê. Já lhe disse. Sou mesmo escritor.

XIS – Pode ser truque, meu kamba. Trazer um gravador normal e portanto eu penso que não é polícia, porque traz o gravador à vista. Aí bóco nas calmas. Oh, esses métodos...

AUTOR – Conhece bem os métodos da polícia?

XIS – Ai não! Obrigam um gajo a falar de coisas sem importância, a debitar, a debitar, e de repente um gajo escorrega numa frase, numa palavra. Dá uma pista qualquer. Pela boca morre o peixe, nunca ouviu dizer? Aí não o largam mais. Já tenho essa experiência.

AUTOR – Como foi?

XIS – No olho! Não lhe bóco nada.

AUTOR – Só quero escrever um livro.

XIS – Já me disse isso. Mas entrou mal comigo. Por isso vejo que não é da bófia. Quanto me paga pelas informações?

AUTOR – Afinal é preciso pagar?

XIS – Mas onde julga que anda? Nas nuvens? Não está neste Mundo, nesta cidade de Luanda? Aqui até coveiro exige garrafa de uísque para cavar a sepultura, não sabia?

AUTOR – É, eu às vezes imagino que estou no mar. A procurar qualquer coisa que talvez tenha a forma física duma toninha.

XIS – Deve estar meio cacimbado, pelo que vejo. Deve ter andado pelo Cunene muito tempo, a ver passar por cima os aviões dos sul-africanos. Entramos no negócio?

AUTOR – Quanto propõe?

XIS – Quase de borla. Cinquenta contos.

AUTOR – Talvez o livro inteiro não me dê isso tudo como lucro... E não vai ser publicado agora. Deverá esperar anos até poder sair. Só nessa altura me pagam. Entretanto, ando por aí à procura de informações, a gastar dinheiro em maximbombos e anúncios nos jornais para encontrar pessoas que queiram falar... Não tenho essa bala toda.

XIS – Lamento. De mim não leva nada. Julga que a vida não está difícil? Se soltar o kumbu, arrisco e falo.

AUTOR – E se o que me contar não valer nada?

XIS – É um risco. Na vida correm-se sempre riscos desses. Pode comprar bocados de garrafa a pensar que são diamantes. Já tem acontecido a muito boa gente! Vamos ao que interessa. Até lhe indico o lugar onde ele está. Apenas por cinquenta dele.

AUTOR – É muito.

XIS – Regateia no preço? Sabe que isso hoje qualquer gato-pingado tem. Veja os campunas. Nem aceitam dinheiro para vender uma galinha. Kumbu têm é demais.

AUTOR – Mas eu não tenho. Sou escritor profissional, talvez até nem ganhe isso em três meses.

XIS – Devia mudar de profissão. Tem aí umas que dão bala bué. Kitandeira, fiscal do comércio, cantineiro...

AUTOR – Há dez anos que digo o mesmo. Mas é vício pior que o do fumador. É vício que vai com um gajo para a cova. Geralmente é mesmo o único vício que leva um gajo à cova... Mas isso não lhe interessa.

XIS – Claro. Vocação de cada um, problema é seu.

AUTOR – Em que ficamos?

XIS – Ponha as cinquenta vermelhas em cima da mesa e conto-lhe tudo, com muitos detalhes mesmo. E pago a rodada. Finalmente começam a servir uísque nas boates. Antes era só cerveja e nem sempre gelada... Conto-lhe da Gisela, do que disse Fernando, do cão, de cooperantes, estórias bué... Sou um verdadeiro arquivo histórico!

AUTOR – Não tenho esse dinheiro. Quem é Gisela?

XIS – Ah, ah, ah! Isso queria saber, não é? Só o nome revela já coisas, põe comichões nas orelhas... Primeiro o kumbu. Se quer mais barato, por vinte dele, falo-lhe do cão, só do cão.

AUTOR – Sem os condimentos?

XIS – Exato! Falo só do cão, depois você inventa os jindungos.

AUTOR – Mas são mesmo os jindungos que me interessam.

XIS – Não é o cão? Então ponha a bala toda.

AUTOR – Não acha exagerado, quer o preço ajindungado quer o preço sem jindungo?

XIS – Sou um negociante. Tudo serve para vender, quando se nasceu negociante.

AUTOR – ...

XIS – Como é, perdeu a fala? Bom, você pôs-me bem-disposto, quero ser generoso. Trinta dele e conto tudo.

AUTOR – Mas só pago depois de ouvir.

XIS – Adiantado. Quem fiava eram os comerciantes colonos. Fiavam para nos amarrar pró futuro. Nesta casa usam-se métodos honestos, democráticos, descolonizados. Paga-se sempre adiantado.

AUTOR – Teria de pedir dinheiro emprestado, talvez vender umas calças ou o casaco, o único que tenho. Compreende? Antes preciso saber se vale a pena.

XIS – O risco é seu. A palavra é minha. Nada vale mais que a palavra. Provérbio banto, se não sabe.

AUTOR – Boa noite. Desculpe tê-lo maçado.

XIS – Vai à merda! Nem uma cerveja me pagas! Estive a gastar praqui a minha prosa com um escritor teso... Vai à merda, seu...

KLIK! (Ruído de gravador a ser desligado.)

A buganvília 10

Estes dois meses passaram e não escrevi em ti, porque nada havia a dizer. Mas hoje há e é triste.

O Lucapa desapareceu. Na última semana uivou demais à noite. Depois desapareceu. Foi por causa da buganvília, estou certa. Essa planta maldita expulsou o meu Lucapa.

Os trabalhadores bailundos cantam no seu sítio e agora são mais vozes e é mais triste o canto. Dois kissanjes acompanham. O luar permite ver a cara deles à volta da fogueira. Mais homens cantam mais mulheres ausentes, por isso mais triste é o canto.

A buganvília está a projetar um ramo na direção do meu quarto. Continua a crescer, a buganvília.

Epílogo

Vou contar sobre o meu cão, mas só em kimbundu. O camarada traduz para a língua que quiser. Falar dele e do mar e de mim só dá mesmo na minha língua.

O cão encontrou-me um dia na Corimba. Estava a preparar o dongo para voltar no Mussulo, onde vivo. Às vezes vou na cidade, atravesso o canal e atraco o longo na Corimba. É preciso fazer compras. Mussulo é uma ilha, não tem loja boa, você sabe bem. Só uma cantina que nos vende cerveja, daí que o povo do Mussulo tem fama de bêbado. Deixa!...

O cão farejou-me, farejou o dongo. Gostou do cheiro, tinha ar contente. Reconheci-o logo. Não era aquele que dançou no Carnaval com o União Kianda? Era esse mesmo. Assisti às cenas, já todo velho até saí a dançar embora atrás dele. Vi logo não tinha dono, era como eu. Perguntei:

— Xê, vadio, queres ir morar comigo no Mussulo?

Muitos amigos meus que têm cães lá. É bom, tomam conta da casa e das mulheres, quando vamos no mar. Minha mulher já morreu, os filhos estão nessa cidade de Luanda, não querem mais fazer vida de pescador. Aceito. Vida de pescador está cada vez mais difícil, com esses barcos modernos que chupam tudo, peixe, ovas, redes, até areia do fundo eles chupam. Os meus filhos querem ser torneiros, pedreiros, talvez até bandidos. Mas pescadores não querem. Não tenho ninguém a morar comigo, o cão vai fazer companhia.

Não respondeu à pergunta. Abanou o rabo. Continuei a preparar as velas. Em breve estava pronto para a partida. Ele não saía dali, só cheirava, cheirava...

— Sou um velho pescador, pobre como todo pescador de dongo. Carne não te vou dar, uma vez no ano como uma galinha

ou porco. Mas peixe podes comer sempre, enquanto esses braços tiverem força de puxar as redes. Vens?
Quando empurrei o barco para a água, ele saltou para dentro.
– Escolheste, cão. Podes sempre mudar de ideia. Não te vou prender, continuarás sempre livre de escolher o teu caminho.
E vogamos. Lembro-me bem. Era de tarde, mas o mar estava que nem lagoa, na nossa baía. O cão pôs-se na popa, a olhar para Luanda que ia ficando atrás. A meio da travessia ladrou. Virei-me para ver. Nada. Não era nada, juro mesmo, nem uma savelha ou tainha que saltou. Hoje sei porque ladrou: estava ladrar para a cidade.
Chegamos ao Mussulo, ficou a viver comigo. Sempre calmo, nunca chateou. Conhece o Mussulo: há a parte interior, do lado da baía, donde se vê Luanda; e exterior, a contracosta, que dá para o mar largo. É na parte interior que costumam ficar os estrangeiros: os kaluandas e outros, os louros. Aí têm as casas de fim-de-semana que fizemos para os colonos. Na parte exterior, só as cabanas dos pescadores. Os estrangeiros não vão lá, só passam de barco a corricar os serras e os dourados.
Pois o meu cão é diferente se está dum lado ou doutro do Mussulo. Se está do lado de Luanda, no Mussulo estrangeiro como chamamos, passa a vida a ladrar atrás das pessoas. Não morde, só corre atrás a ladrar. Sobretudo dos que estão fazer esqui. Não sei se não gosta deles, não sei se é a brincar, nunca percebi. Não faz distinção: seja bumbo, mulato, branco-fronteiras-perdidas, louro, ele corre atrás. Se está na contracosta, onde fica a minha cubata e o dongo e as redes, ele fica calmo, não faz confusão.
Uma vez levei-o na pesca. Mas não repeti mais. Cada peixe que saltava na água, ele ladrava e saltava, quase fazia virar o dongo. Atrapalhou-me só a pescaria, dessa vez nada que pesquei. Não fiquei zangado, nunca fico zangado com o meu cão, culpa foi minha. Que ideia mais maluca levar um cão na pesca! Ele queria ajudar, estava todo animado, pensava era caça, tinha de estragar.
Às vezes nada sai das redes. Passamos fome, os dois juntos.

A Luanda não aceita ir. Quando me vê pôr o balaio das compras no dongo, já sabe é para ir na cidade, não entra no barco mesmo se eu chamo. Nunca mais pôs uma pata em Luanda.

E já encheu o Mussulo de filhos. Todas as cadelas que lá tem ele engravidou. Pela cara dos cachorros se reconhece o pai. Todos cruzados de cabiri com pastor-alemão. O Mussulo agora está cheio de mulato de pastor-alemão. Não tem cadela fixa. Anda duma pra outra e faz uma ninhada de vez em quando. Bem que eu queria, mas já não tenho força.

O mais estranho aconteceu um dia.

Estávamos os dois, ele e eu, sentados no pôr do Sol, a olhar o mar alto. Eu a fumar o meu cachimbo, ele a pensar as suas vidas antigas. E passou um grupo de golfinhos. O último vinha muito atrás do grupo e a uns dez metros da costa: às vezes a arrebentação quase lhe atirava para a areia. Era uma toninha, das coisas mais lindas que vi na minha vida.

O cão, que ladra para tudo que aparece no mar, nem jamanta lhe faz medo, ficou quietinho, calado, a olhar a toninha. Ela ondulava, mergulhava e voltava, lançando a espuma das ondas para o ar e tons azulados nos violetas do pôr do Sol.

E o cão começou a correr na praia, a acompanhá-la. Sem ladrar, sem fazer barulho. A toninha continuou sempre perto da costa, a mergulhar e a aparecer no meio da espuma, e o cão a correr ao lado. Eu fui andando atrás dele, a ver o que ia dar. Chegaram na ponta da ilha. Ele hesitou, deu muitas voltas, entrou na água, saiu, sentou, deu mais voltas. Hesitava. Ficou sentado, parado, a ver a toninha afastar-se lentamente.

Aí cheguei ao pé dele. Gania baixinho, a olhar para a toninha que era cada vez mais ponto pontinho pontozinho na direção do mar alto.

Todas as tardes ele vai ao pôr do Sol para a ponta do Mussulo e geme baixinho, procurando algum ponto no mar.

Já decidi, se ele morrer antes de mim, vou enterrá-lo ali na ponta onde ele fica, a cabeça virada para o alto-mar.

Pode ser o meu cão sofre por essa toninha tão linda que ele viu uma só vez? Cão também sofre de amor? Isso não o impede de ir fazendo filhos com as cadelas. Mas à tarde ele abandona os esquiadores, os estrangeiros, as cadelas, e põe-se no fundo da ilha a cantar ganidos para o mar.

É esse o cão pastor-alemão que nunca me deixou. É esse mesmo que você procura, camarada escritor. Convido-o para um mufete no Mussulo e vai visitá-lo. Promete só não fazer perguntas, porque ele nunca fala. Os segredos que ele tem vão morrer com ele. Não aceita o convite? Prefere não voltar a vê-lo? Saber só que ele está lá feliz e escrever sobre ele?

Compreendo, sim, compreendo.

Creio que todos, homens do mar, temos uma toninha que só aparece uma vez na vida e que, ao ir-se de vez, nos deixa um vazio no coração. E dá vontade mesmo, quando o Sol morre no mar, ganir para essa toninha que tem algas como cabelos. Ela procura uma ilha, temos de a deixar seguir o seu caminho, mesmo que fiquemos na praia a perdê-la, morrendo toda a vida.

Primeiro episódio: onde o autor é obrigado a retratar-se

O pedaço de jornal, recortado certamente por mãos malévolas, caiu por baixo dos meus olhos e senti o frio invadir-me as costelas. Tudo era posto em causa. Repartia do zero.

Eis a notícia que vinha no jornal regional do Sul, editado na orgulhosa cidade de Benguela:

Reportagem do nosso correspondente na Ganda

Adivinhava-se dia grande no Cubal com a realização do jogo de futebol entre as Onças do Cubal e os Indomáveis da Ganda. Os desafios anteriores foram azarados para os Indomáveis, nitidamente a melhor equipa da região mas que, por motivos vários, não tem podido marcar os golos que dão a vitória. O jogo de ontem era decisivo. Para as Onças bastava o empate. Os Indomáveis tinham de ganhar.

A facciosa claque de apoio do Cubal invadiu o estádio municipal desde muito cedo, de maneira que o povo da Ganda, quando chegou (viagem demorada e mesmo perigosa, por causa dos bandidos que às vezes atacam os carros na estrada), já não encontrou lugares. E todos sabem que vinte e tal quilômetros separam as duas importantes urbes da nossa ubérrima região. Maior parte do povo da Ganda ficou de fora. Mesmo o repórter, que é isento, representando um grande jornal com larga difusão no Centro-Sul do País e que em serviço de reportagem não é de ninguém, nem de nenhum kimbo, teve sérias dificuldades em entrar no campo e isto só graças à benevolência de alguns imparciais adeptos dos Indomáveis que abriram caminho a soco.

Logo no início do desafio se via que as Onças e seu público malicioso queriam ganhar um ponto de qualquer maneira. Para os Indomáveis, a esperança era a conhecida coragem e honestidade do afamado árbitro benguelense, Chico Barbatana, habituado a afrontar a falta de desportivismo e civismo das gentes cubalinas. Recorde-se a propósito que no ano passado foi para o hospital, agredido covardemente, mas só depois de ter marcado uma grande penalidade contra as Onças que deu a merecida vitória aos Indomáveis.

Tudo o resto era hostil. Parecia que tinham metido os arados no campo para abrir sulcos que impedissem os tão famosos passes em profundidade do inigualável Bibolas. Tinham cavado buracos a servir de ratoeira ao "flecha negra" dos Indomáveis, o conceituado sprinter Samukolo. E o público gritava desde o princípio a insultar árbitro e adversários. Arranjaram mesmo um slogan de mau gosto, na escandalosa bebedeira de sábado à noite, como é hábito no Cubal, para desmoralizarem os senhores do futebol, os magos da bolinha:

"Indomáveis pão-pão
Capados já estão."

Nada deste cenário resultou: os senhores do futebol entraram em campo para mostrar o que valiam. E mostraram. Imediatamente se fez sentir a esmagadora superioridade estratégica e técnico-tática da valorosa equipa da Ganda. As fintas impressionantes de Jingo, jingando entre adversários, eram um perfeito quebra-cabeças. Eram vagas e ondas que se aproximavam inexoravelmente da baliza de Armandinho, em tarde de grande inspiração. Não fora o guarda-redes das Onças e no primeiro tempo já o marcador registaria vários golos a favor dos gandenses.

Sem sombras de dúvida, os pupilos de Tiago Domingos Adão, o excelente treinador que os gandenses recrutaram no norte do Kuanza, aprenderam bem as lições deste técnico de nível continental (pelo menos!) e que só as políticas de bastidores afastam da seleção nacional e mesmo da provincial de Benguela. Como se os estrangeiros que para aqui vêm ganhar dólares fossem mais competentes do que este angolano genuíno! Mas falemos do jogo... Os Indomáveis, com um primor admirável, adaptaram-se às desumanas condições do terreno e fizeram dele tudo o que quiseram.

O empate a zero bolas subsistia no fim do primeiro tempo e, embora o empate lhes bastasse, os cubalinos não evitavam de mostrar o seu nervosismo e temor, quer no campo quer nas bancadas, em ruínas, diga-se de passagem.

O árbitro apitou para a segunda parte e começou o festival. Bibolas conseguia fazer os seus temíveis passes a meia altura, para evitar os sulcos do terreno, e a bola quase milagrosamente atravessava toda a defesa cubalina e ia parar nos pés de Samukolo, o qual, velocíssimo tal um mona-kaxito, saltava sobre os buracos com a bola colada aos pés, como que atraída por poderoso íman. Era o pânico na defesa adversária. Só Armandinho conseguia salvar a situação com voos espetaculares aos pés dos indomáveis atacantes. Mas todos viam que Armandinho e os feitiços atrás da baliza dele não poderiam evitar por muito mais tempo a terrível verdade...

No momento em que Jingo entrava na grande área, fintando todos os adversários, que pareciam cacos duma roda partida à sua volta, um cão pastor-alemão entrou velozmente em campo e arrebatou com a enorme bocarra a bola a Jingo, quando este ia já rematar. Sururu! O cão fugiu com a bola na boca e o jogo foi interrompido. Não se encontrou o cão nem a bola e pôs-se a segunda bola em jogo. O cão criminosamente amestrado tinha roubado um golo aos Indomáveis. Estes protestaram, tanto mais que a segunda bola posta em jogo era das Onças, com a qual já se tinha jogado a primeira parte. Não é segredo para ninguém que a bola das Onças tinha dormido na véspera na cubata da Nhazela, conhecida por seus pós e milongos.

Nulamente desmoralizados com o incidente, os gandenses voltaram aos ataques fulminantes. Toda a equipa estava no meio campo das Onças. O pânico mais completo percorria os visitados e mesmo o público se calava, temeroso. Esqueceram o slogan de mau gosto, não queriam capar mais ninguém, apenas segurar o resultado. Jaimito, Jingo, Bibolas, Samukolo, Trinca-Espinhas, Cavalão, faziam razias no meio campo. Os jogadores cubalinos andavam literalmente às cegas, a enfiar a cabeça na terra. Nem cheiravam o esférico. O público, transtornado, humilhado, catastrofado, ali compreendeu que as Onças do Cubal miavam como gatitos. As garras estavam gastas, limadas primorosamente pela técnica inconfundível dos homens da Ganda.

E ia entrar o golo. Jaimito centrou, Samukolo bateu em corrida três desesperados adversários (é espantoso como pode ele fazer aquilo sobre os buracos!), passou de bandeja para Bibolas e este não tinha mais que empurrar a redondinha para a baliza deserta. Armandinho, com efeito, andava de gatas no chão, Onça desfeiteada! Subitamente, entrou de novo o cão e abocanhou a bola, fugindo com ela para fora do campo!

A indignação ganhou o coração de todos os homens honestos que assistiam à peleja, isto é, os habitantes da Ganda. Não era possível que os cubalinos abusassem tanto. E foi com irreprovável sentido de responsabilidade que Tiago Domingos Adão ordenou aos seus pupilos para abandonarem o terreno. Os Indomáveis obedeceram-lhe com o espírito de disciplina que os caracteriza e os faz admirados até na capital provincial, esse centro de civilização que é Benguela. Os nossos jogadores tiveram ainda de suportar estoicamente os insultos vergonhosos dos falangistas facciosos do Cubal, até entrarem para as carrinhas que nos transportaram para a Ganda.

Com toda a honestidade, isenção e imparcialidade que me caracterizam (como se explicaria de outro modo a honra de ser correspondente dum periódico destes?), aproveito esta página para chamar a atenção da Associação de Futebol para o escândalo. Isto só pode ser resolvido duma maneira: interditar por vários anos o campo municipal do Cubal; e anular todos os jogos das Onças. Medida perfeitamente justa que iria beneficiar os Indomáveis, que assim seriam classificados. Os nossos rapazes bem o merecem, pois são de longe os magos da laranjinha.

Compreendem, generosos leitores?

Generosos, sim, e por duas razões. Primeira: compraram o livro, uma parte do vosso dinheiro vem para o meu bolso (por isso devia haver lei a proibir empréstimo de livro; cada um pague o seu; patos fora!) Segunda: chegaram a ler o Epílogo (espero que não só). E agora sentem-se aldrabados.

Isso que vocês estão a sentir também eu senti quando li o recorte do jornal. A mesma coisa. Por isso não se sintam aldrabados. A vida aldraba-nos a todos.

Porque o cão do Cubal só pode ser o do Mussulo. E – mistério – as datas coincidem. Informei-me com uma esperança de que houvesse engano. Mas não. No momento do jogo de futebol no Cubal, estava eu na Corimba a falar com o velho pescador do Mussulo, dono do cão sonhador de toninha. O mesmo cão, no mesmo dia, a mil quilômetros de distância. E esta?

Desde o princípio vocês tinham uma dúvida. Ela vinha, ela ia. Talvez nem todos a tenham formulado. Mas ela lá estava: que certeza essa que eu tinha de ser o mesmo cão? Não há muitos cães pastor-alemão? Como podia eu seguir-lhe o rasto sem me perder no labirinto de cheiros formados por todos os pastores-alemães de Luanda? Não é essa a dúvida?

Fácil responder. Há qualquer coisa nesse cão, chamem feitiço, na maneira como as pessoas se referem a ele, que o identifica imediatamente. Uma magia? O Mundo está cheio dela. Mas eu, que não sou cão, farejo-o nas estórias. E garanto-vos que a reportagem do Cubal traz o cheiro característico dele.

Por isso vos digo: é preciso recomeçar tudo de novo. Este é o primeiro episódio do meu livro. Agora leiam ao contrário, de trás para a frente, se quiserem. O leitor deve ter sempre toda a liberdade.

Qual então o fio da estória? O cão? A toninha? O mar? Luanda? Ou tudo isso e que afinal era a vida boa daqueles tempos pouco depois da independência (anos hoje acinzentados pelos anos), em que a vida estava na pedra de cada muro, no buraco de cada rua, na coragem toda nova das pessoas de olharem para o fundo dum beco sem saída e encontrarem força de sorrir?

Agora, leitores, na minha escrita que morre começa a vossa fala.

Primeiro episódio: outra versão possível

Sonho a cores (muito sobre o vermelho) do autor, sonambulando em cima dum imbondeiro, para lá da Corimba, perto do Morro dos Veados, anos depois dos acontecimentos anteriormente relatados (ou posteriormente, tanto faz). Sonho futurista, portanto; não forçosamente sonho de futuro.

O cão pastor-alemão estava velho. Uns dentes tinham caído, algum pelo amarelecido ficava colado ao dongo ou ao coqueiro, se roçava para coçar uma pulga mais teimosa. Permanecia cada vez mais tempo na contracosta, procurando o ponto negro duma toninha e desprezava já cadelas e esquiadores. Pensamentos de juventude amargavam sua velhice? O pescador, também mais velho, via o cão envelhecer e adivinhava a raiva surda nele crescer. Falava doces palavras de velho e o pastor-alemão só lhe lambia as mãos salgadas, os olhos não acalmavam, como antes.

Até que, um dia, o cão se enfiou no Kapossoka, o ferribote nacional. O cobrador espumou de raiva. Fez tudo para o tirar do barco, apesar dos protestos dos passageiros. Pontapé é que não lhe deu, os olhos do cão infundiam respeito; cobrador é trabalhador zeloso mas não até ao ponto de arriscar uma canela.

– Deixa lá o cão – disse uma mulher. – Quer ir ver Luanda.

– Deixo nada. Kapossoka não é para cão.

– Ora! – disse outro passageiro. – Tão sujo, tão enferrujado, não sei por que não é também para cão.

– Não pode. Não pagou bilhete.

– Afinal cão paga bilhete?

– Então! Se quer atravessar o canal, paga como qualquer passageiro. Ordens são ordens. Kapossoka tem de dar lucro.

– Cão não tem pasta para guardar dinheiro, meu – disse um garina. – Como vai pagar? Deixa lá ele ir.

Tantas foram as insistências que o cobrador desistiu.
– Se o fiscal vier, vocês é que pagam o bilhete dele.
O cão marimbava-se para a discussão, estava era a olhar para a cidade, da proa do barco.
Chegaram.
Foi o primeiro a desembarcar. Saltou para a ponte, nem despediu dos seus defensores, saiu a correr em passos trôpegos de velho. Atravessou toda a cidade, indiferente ao trânsito, às novas ruas e prédios novos, aos polícias e buzinadelas. Luanda era mesmo só o ponto de passagem obrigatória do Mussulo para o seu destino, uma quinta próspera nos arredores de Viana, onde tinha vivido uma menina que escrevia os seus dramas num diário.

Chegou ao meio-dia. Cansado, cada vez mais trôpego, mais ancião. Foi direito a um alpendre que agora já não era isso, era só o ninho duma buganvília gigante, polvo tentacular que tinha também invadido a parede exterior da casa.

Encontrou um menino que podia ser filho da rapariga de muitos anos atrás. O menino não se assustou. O cão lambeu-lhe o joelho. O menino riu.

O pastor-alemão avançou para a buganvília. Ela atirava o roxo das suas flores para todas as direções, desafiando o amarelo complementar do meio-dia. O tronco tinha mais de dez centímetros de diâmetro na base, endurecido por resistir aos ventos que atravessavam o oceano.

O cão parou, olhou fixamente a planta, rosnou. Os olhos perderam a meiguice de longamente contemplarem o mar. Fulguravam agora, como os olhos dos que empunhavam a raiva da fome como estandarte. Atirou-se, rosnando, contra o tronco descomunal.

A buganvília travou o desafio mudo das suas flores. Pôs todos os espinhos em riste, fincou bem as raízes na terra vermelha, apelou aos tentáculos cravados na parede. O cão rugia, mordia, cavava com as patas, puxava com a boca. Um a um, os velhos dentes iam ficando incrustados no tronco nodoso.

O menino assustou. Saiu na berrida, foi chamar os trabalhadores bailundos. Demoraram a largar os afazeres na horta, olhando para todos os lados, não fosse aparecer o avô da criança ou o tio. Nem a carrinha, nem o Range Rover, nem o Mercedes de luxo estavam à vista: os patrões tinham ido para a cidade e mais o capataz. Aproximaram-se do alpendre. A criança estava agora mais calma, com a presença de Antônio, o mais velho dos trabalhadores.

– Patrão velho vai ficar zangado – disse Antônio. – Nunca deixa cortar a buganvília.

– Como vamos fazer? – disse outro.

– Haka, não sei. Se enxotarmos, o cão não vai parar. Tem muita raiva.

E ficaram a observar de longe.

O cão pastor-alemão continuava o seu combate contra a planta. Tinha perdido a cor do pelo, pois as feridas dos espinhos faziam jorrar sangue por todos os lados. Vários ramos tinham caído sobre ele e, para chegar ao tronco, ficava enredado nos tentáculos aguçados da buganvília. E o sangue saía do corpo, da boca, das patas, da garganta. Deixara de ser um cão: era uma ideia envolta em sangue.

– Vai se matar – disse um trabalhador.

– Não quero que ele morra – gritou o menino.

– Deixa! – disse Antônio. – Ele sabe o que está fazer. A morte não interessa.

A tarde ficou mais fresca e no ventinho do mar o cão encontrou novas forças. O cheiro da maresia, a hora, o quê lhe despertou saudades? Rugiu e atacou definitivamente. Muitas raízes já estavam fora da terra vermelha, muitos braços decepados jaziam numa mistura de folhas verdes, flores roxas com pingos de sangue. As nuvens lá no alto juntaram-se aos homens a olhar a cena. Não era seu o combate?

– Vai mesmo morrer.

– Já não tem força para acabar o trabalho.

– Falta muito pouco mesmo.

– É, mas não tem mais força.
O menino segurou na mão de Antônio. A mãozinha tremia e estava fria e o trabalhador olhou o menino.
– Ajuda o cão, Antônio.
– Eu?
– Sim, tu.
O velho trabalhador coçou a carapinha branca, olhou os outros. A catana estava na sua mão, estava também na mão dos outros. Esquecida no côncavo das mãos durante horas.
– Patrão velho fica bravo se tocamos na buganvília.
– Quem tem coragem de desobedecer ao patrão velho? – disse Antônio. – Nem a menina. Ela também queria cortar a buganvília. Mas, haka! Tinha medo mesmo.
O cão, indiferente às dúvidas que provocava, num ronco esgotado, desapareceu no meio dos destroços, atacando a última raiz, a mais funda. Só se via o restolhar verde-vermelho do combate.
– Antônio, não deixes ele se matar – gritou o menino.
A vozinha era tão fraca e vencida que explodiu na cabeça do trabalhador.
O velho, num salto e num uivo de ódio ancestral, fez cintilar a catana na noite que caía, desferindo um único golpe no tronco da buganvília. Fatal, o golpe razou o solo e cortou o tronco em dois. Os outros gritaram e avançaram para a raiz e arrancaram-na. Nela ficaram cravados os últimos dentes do pastor-alemão.
Decepada, desenraizada, a buganvília estava morta. Mas parte ficou ainda de pé, agarrada pelos espinhos à parede. O tronco, cortado pela base, balouçava ao vento que vinha do mar distante.
O cão, só ideia envolta em sangue, saiu do seu túmulo vegetal. Olhou o inimigo vencido, olhou os trabalhadores e o menino, agora assustados à sua volta, latiu fraquinho. Afastou-se, rastejando. As patas de trás estavam imobilizadas, iam puxadas pelas da frente, aos arrancos, cavando sulcos paralelos e sanguinolentos na terra vermelha.

Deve ter rastejado toda a noite, porque o Sol nascente encontrou-o trinta quilômetros à frente, deitado de vez na areia do ancoradouro do Kapossoka, as patas na água do mar, os olhos fixos na língua verdamarela dos coqueiros do Mussulo. Procurando, num gesto derradeiro para lá do mar, o vulto duma toninha, algas como cabelos?

E o meu sonho... se foi. Com ele começa a vossa fala.

Glossário

agueineste – corruptela do Inglês *against* (contra).

baçula – rasteira.
bala – dinheiro.
banga – categoria, prestígio, classe.
batuta – conhecedor, competente.
bazar – fugir.
bicha – fila.
bocaram – falaram.
borlex – de borla; de graça.
bué – muito.
boleia – forma de transporte em que pessoas são levadas de um ponto a outro por um terceiro em seu veículo, de forma gratuita; carona.
bumbar – trabalhar.
bumbo – negro.

cabiris – rafeiros.
calema – ressaca no mar devido a tempestades no alto oceano, típica da costa ocidental africana.
campunas – camponeses.
capiar – fazer fintas, dribles.
casuarina – árvore que cresce na areia das praias.
cazumbi – espírito.
coche – um pouco, um pedaço.

dicanza – instrumento musical também conhecido por reco-reco.
dongo – canoa feita de um tronco de árvore escavado.

garina – mulher jovem; moça.
goma – batuque, tambor.

Haka! – interjeição de espanto (língua umbundu).

jamanta – raia gigante.
jindungo – tipo de pimenta (malagueta); molho apimentado.

Kabokomeu – grupo carnavalesco de Luanda.
kamba – amigo.
kandengue – miúdo, criança.
karkamano – nome pejorativo de sul-africanos.
Kazukuta – nome original duma dança mas cada vez mais tendo o sentido de confusão, desorganização, tumulto.
kianda – sereia.
kíbua – mentira.
kimbo – aldeia.
kitanda – mercado.
kitandeira – vendedora no mercado ou nas ruas.
kissanje – instrumento musical, constituído por uma caixa de ressonância e palhetas de metal.
komba – velório na casa do morto, em que se come, bebe e dança.
kota – mais velho, ancião.
kumbu – dinheiro.

lingala – expressão luandense para designar refugiados angolanos no Zaire que regressaram a Angola e falam Lingala, língua do Zaire.

maka – problema, conflito.
Melói – Portugal.
micate – frito; espécie de sonho.
milongo – feitiço ou medicamento tradicional.
mona-kaxito – arma; lança-obuses reativo.

monandengue – menino.
mona – menino.
muadié – senhor.
mufete – prato tradicional composto de feijão de óleo de palma e peixe grelhado.
mujimbo – notícia transmitida pessoalmente; recentemente ganhou o sentido de boato.
Mutamba – um dos mais antigos largos de Luanda; uma árvore.

nguêta – branco.

ODP – Organização de Defesa Popular; milícia paramilitar.

pancar – comer.
puíta – instrumento musical; cuíca.

quinda – espécie de tabuleiro de verga.
quitata – prostituta.

savelha – peixe.
soba – chefe, régulo
Sukua! – expressão de admiração ou raiva.

tuga – português; colonizador.

zuna – à grande velocidade.

O autor

ARTUR CARLOS MAURÍCIO PESTANA DOS SANTOS nasceu em Benguela, Angola, em 1941, onde fez o Ensino Secundário. Iniciou os estudos na Universidade em Lisboa, em 1958. Por razões políticas, em 1962, saiu de Portugal para Paris, e seis meses depois foi para a Argélia, onde se licenciou em Sociologia e trabalhou na representação do MPLA (Movimento Popular de Libertação de Angola) e no Centro de Estudos Angolanos, que ajudou a criar.

Em 1969, foi chamado para participar diretamente na luta de libertação angolana, em Cabinda, quando adotou o nome de guerra **PEPETELA**, que mais tarde utilizaria como pseudônimo literário. Em Cabinda foi simultaneamente guerrilheiro e responsável no setor da Educação.

Em 1972, foi transferido para a Frente Leste de Angola, onde desempenhou a mesma atividade até ao acordo de paz de 1974 com o governo português.

Em novembro de 1974, integrou a primeira delegação do MPLA, que se fixou em Luanda, desempenhando os cargos de Diretor do Departamento de Educação e Cultura e do Departamento de Orientação Política.

Em 1975, até a independência de Angola, foi membro do Estado Maior da Frente Centro das FAPLA (Forças Armadas Populares de Libertação de Angola), e participou na fundação da União de Escritores Angolanos.

De 1976 a 1982, foi vice-ministro da Educação. Lecionou Sociologia na Universidade Agostinho Neto, em Luanda, até 2008. Desempenhou cargos diretivos na União de Escritores Angolanos. Foi Presidente da Assembleia Geral da Associação Cultural "Chá de Caxinde" e da Sociedade de Sociólogos Angolanos. Em 2016 foi eleito Presidente da Mesa da Assembleia Geral da Academia Angolana de Letras, de que é membro-fundador. É membro da Academia de Ciências de Lisboa.

Obras do autor

1973 – *As aventuras de Ngunga*
1978 – *Muana Puó*
1979 – *A revolta da casa dos ídolos*
1980 – *Mayombe*
1985 – *Yaka*
1985 – *O cão e os caluandas*
1989 – *Lueji*
1990 – *Luandando*
1992 – *A geração da utopia*
1995 – *O desejo de Kianda*
1996 – *Parábola do cágado velho*
1997 – *A gloriosa família*
2000 – *A montanha da água lilás*
2001 – *Jaime Bunda, agente secreto*
2003 – *Jaime Bunda e a morte do americano*
2005 – *Predadores*
2007 – *O terrorista de Berkeley, Califórnia*
2008 – *O quase fim do mundo*
2008 – *Contos de morte*
2009 – *O planalto e a estepe*
2011 – *Crónicas com fundo de guerra*
2011 – *A sul. O sombreiro*
2013 – *O tímido e as mulheres*
2016 – *Como se o passado não tivesse asas*

Prêmios

Prêmio Nacional de Literatura de 1980 pelo livro *Mayombe*
Prêmio Nacional de Literatura de 1985 pelo livro *Yaka*
Prêmio especial dos críticos de S. Paulo (Brasil) em 1993 pelo livro *A Geração da utopia*
Prêmio Camões de 1997 pelo conjunto da obra
Prêmio Prinz Claus (Holanda) de 1999, pelo conjunto da obra
Prêmio Nacional de Cultura e Artes de 2002, pelo conjunto da obra
Prêmio Internacional para 2007 da Associação dos Escritores Galegos (Espanha)
Prêmio do Pen da Galiza "Rosália de Castro", em 2014
Prêmio Fonlon-Nichols Award da ALA (*African Literature Association*), 2015

Destaques

1985 – Medalha de Mérito de Combatente da Libertação pelo MPLA
1999 – Medalha de Mérito Cívico da Cidade de Luanda
2003 – Ordem do Rio Branco da República do Brasil com o grau de Oficial
2005 – Medalha do Mérito Cívico pela República de Angola
2006 – Ordem do Mérito Cultural da República do Brasil, grau de Comendador
2007 – Nomeado pelo Governo Angolano Embaixador da Boa Vontade para a Desminagem e Apoio às Vítimas de Minas
2010 – Doutor Honoris Causa pela Universidade do Algarve (Portugal)

fontes	Gandhi Serif (Librerias Gandhi)
	Montserrat (Julieta Ulanovsky)
papel	Pólen Soft 80 g/m²
impressão	BMF Gráfica